D1201744

UWE M. SCHNEEDE

KÄTHE KOLLWITZ
DAS ZEICHNERISCHE WERK

SCHIRMER/MOSEL

Der vorliegende Band ist eine erweiterte Buchhandelsausgabe
des Kataloges zur Käthe-Kollwitz-Ausstellung 1980 in Hamburg
und 1981 in Zürich.
Für die freundliche Genehmigung dieser Ausgabe und für die
Überlassung der Offsetfilme danken wir Herrn Prof. Dr. Arne Kollwitz,
dem Kunstverein in Hamburg und Frölich & Kaufmann.

CIP-Kurztitelaufnahme der Deutschen Bibliothek:

Schneede, Uwe M.:
Käthe Kollwitz: d. zeichner. Werk / Uwe M. Schneede. –
München: Schirmer-Mosel, 1981

ISBN 3-921375-82-7

NE: Kollwitz, Käthe [Ill.]; HST

Satz, Druck und Bindung: Passavia Passau

ISBN 3-921375-82-7

Aufruhr und Melancholie

»Nun muß ich aber bemerken, daß, wenn Sie mich abstempeln zur ausschließlichen Darstellerin des Proletariats, ich sage, Sie kennen meine Arbeit nur sehr unvollständig«, schreibt Käthe Kollwitz um 1943. Und sie fügt hinzu: »Im Laufe langer Jahrzehnte erweiterte sie sich. Ich erlebte, daß neben leiblichem Kummer, leiblicher Not die Not des Menschen besteht, der unter den Gesetzen des Lebens steht. Trennung, Tod sind Begleiterscheinungen jeden Lebens«.
Sätze, die man, das gängige Urteil über Käthe Kollwitz als einer Protokollantin proletarischen Elends vor Augen, von dieser Künstlerin gerade nicht erwartet hätte? Daß sie unter Rechtfertigungsdruck im Dritten Reich geschrieben wurden, machen sie nicht unwahrer. Noch immer gilt Käthe Kollwitz weithin und ausschließlich als Chronistin der Armen und der Armut, wo es längst Unterscheidungen zu treffen gilt, die der Breite ihres Werkes, seinen Entwicklungen und seinen Widersprüchen gerecht zu werden vermögen.
Gliedern läßt sich dieses Werk vor aller weiteren Differenzierung in zwei Phasen: die aufrührerische bis etwa 1910, die melancholische ab 1914. Das Sich-zur-Wehr-setzen, Appell und Aufruf sind die Motive der ersten, der Tod ist das vorherrschende Thema der zweiten Phase. Ich sage: das vorherrschende Thema. Widerstandsmotive und Anklagen finden sich zahlreich auch im Werk nach 1914, und Todesmotive sind schon in der Frühzeit sehr häufig. Zu recht schrieb ihre Schwester Lise einmal, Käthe Kollwitz habe ihr ganzes Leben hindurch ein Gespräch mit dem Tod geführt. Bilder des Abschieds und Bilder des Aufrufs stehen also in diesem Werk nebeneinander, nur verlagern sich die Schwergewichte; über die persönlichen und die übergeordneten Gründe wird zu reden sein.

Die erste Phase / Sozialer Eingriff

»Ich war revolutionär«, schreibt sie 1920 im Rückblick. »Mein Kindheits- und Jugendtraum war Revolution und Barrikade«. Bis 1910 entstehen die Zyklen »Ein Weberaufstand« und »Bauernkrieg« sowie die großen Einzelblätter »Aufruhr« und »Carmagnole«.
»Ich möchte hierbei einiges sagen über die Abstempelung zur ›sozialen‹ Künstlerin, die mich von da an begleitete. Ganz gewiß ist meine Arbeit schon damals durch die Einstellung meines Vaters, meines Bruders, durch die ganze Literatur jener Zeit auf den Sozialismus hingewiesen. Das eigentliche Motiv aber, warum ich von jetzt an zur Darstellung fast nur das Arbeiterleben wählte, war, weil die aus dieser Sphäre gewählten Motive mir einfach und bedingungslos das gaben, was ich als schön empfand«. Einige Zeilen weiter heißt es in diesen »Erinnerungen« von 1923 noch einmal: »Nur dies will ich ... betonen, daß anfänglich in sehr geringem Maße Mitleid, Mitempfinden mich zur Darstellung des proletarischen Lebens zog, sondern daß ich es einfach als schön empfand.«
Den Zyklen und den Einzelblättern aus der Zeit vor 1910 ist gemeinsam, daß in ein historisches Bildthema aktuelle Stellungnahmen eingebettet sind. Auf einer vorderen Schicht werden geschichtliche Ereignisse geschildert: die Bauernkriege von 1524/25, die Französische Revolution von 1789, der schlesische Weberaufstand von 1844. Auf einer zweiten Ebene sind diese Schilderungen Reaktionen auf die aktuellen miserablen sozialen Zustände. Die Darstellung vergangenen Aufruhrs wird Aufruf zum Handeln in der Gegenwart: nicht Mitleid, sondern kämpferisches Engagement.
Der Vermittler zwischen beiden inhaltlichen Schichten ist die Zeichenweise. Durch Heftigkeit und Nachdruck besorgt sie den aktuellen Appell, hebt ihn aus dem historisch eingekleideten Motiv heraus. Anders ausgedrückt: Zyklus und Einzelblätter sind inhaltlich manifeste Stellungnahmen, aber in ihrer ästhetischen Erscheinungsweise ist noch mehr verborgen, nämlich eine immanente Bewegung gegen die Gesellschaft, schwerer zu entziffern, deshalb nicht undeutlicher (so sorgsam wie die Sprache der Inhalte ist die Formensprache zu lesen; erst dann wird jenes Mehr des Kunstwerks gegenüber dem historischen Dokument einsehbar).
Um ein Beispiel zu geben. In der Figur der »Schwarzen Anna« aus dem »Bauernkriegs«-Zyklus verkörpert sich inhaltlich manifest das aus der Vergangenheit in die Gegenwart herübergeholte rebellische Potential, das jedoch stumm und bloß

illustrativ bliebe, wäre nicht der rasche, zornige Strich auf eine vorsprachliche Weise als Chiffre für den persönlichen, den aufrührerischen Impetus der Zeichnerin lesbar. Im Lineament, im Kontrast der weichen und der harten, der andeutenden und der ausführenden Kohle verwirklichen sich Mitteilung und Aufforderung.

Zyklen und Einzelblätter aus der ersten Phase erheben den Anspruch, mit den Mitteln der Kunst auf die Gesellschaft (auf einzelne in dieser Gesellschaft) einzuwirken. Die Beschäftigung mit solcher Kunst kommt nicht umhin, den Nutzen einer appellativen Ästhetik mitzureflektieren, auch die Bezugsrahmen: den gesellschaftspolitischen zur Zeit der Entstehung, den biographischen der Künstlerin, muß die Aufbewahrung von Altem und die Vorgriffe auf Neues entziffern.

Gezeichnet und radiert wurden diese Werke zu einer Zeit, da Kaiser Wilhelm im Naturalismus Rinnstein-Kunst sah und selbst seine Opponenten, die Sozialdemokraten, auf ihrem Parteitag 1896 in Gotha wütende Angriffe gegen »Schmutz und Schund« der naturalistischen Kunst richteten, die ihnen als »das Gemeinste, das psychiatrisch Kränkste« erschien, und der Verein Berliner Künstler sofort nach ihrer Eröffnung eine Munch-Ausstellung schloß, um sich »aus Hochachtung vor der Kunst ... vor dem Verdachte einer nicht würdigen Unternehmung zu bewahren«. Widerstände in Realität und Kunst, die es für einen Künstler, für eine Künstlerin gar, zu überwinden galt.

Käthe Kollwitz gehört der Generation von Edvard Munch, Emil Nolde, Ernst Barlach an. Das ist die Generation *vor* Max Beckmann, Oskar Schlemmer, Otto Dix, Max Ernst. Als die ihre (ästhetisch) aufrührerischen, Bildkonventionen vollends zerstörenden Arbeiten entwickeln, hat Käthe Kollwitz die erste geschlossene, die rebellische Werkphase bereits hinter sich. Was die Jungen zerbrechen, bewahrt sie noch auf: die ungebrochenen Bildformen aus dem 19. Jahrhundert. Auch die radikale Subjektivierung (etwa eines Edvard Munch) ist nicht ihre Sache. Sie lernt von Max Klingers Realismus, vorübergehend von seinem Symbolismus, aber der latente Surrealismus der »Handschuh«-Folge bleibt ihr fremd.

Gegen alle äußeren Widerstände als Frau, gegen alle äußeren Widerstände als kritisch sich ausdrükkender Zeitgenosse, aber auch gegen alle Widerstände einer neuen Ästhetik aktiviert sie kurz vor der und um die Jahrhundertwende das Kunstwerk als sozialen Eingriff und – dies gilt zumal für die Zeichnungen – das Kunstwerk als eines, das auch durch seine Sprachform aufrüttelt. Der soziale Bezugsrahmen fördert ihre Orientierung nach außen, doch wo die Identität von Innen und Außen zugrunde liegt, da bilden ihre Arbeiten durch Schärfe und Genauigkeit des Zugriffs Höhepunkte der Kunst um 1900, Wegbereiter für den ätzenden Verismus der 20er Jahre bei Grosz, Dix, Hubbuch, Schlichter.

Der Zündstoff ist bei Käthe Kollwitz der gleiche wie später bei ihnen. Man stelle sich doch einmal die durch vieles Abbilden in Lesebüchern und Geschichtswerken als Bildungsgut heimgeholten »Weberaufstand«- und »Bauernkrieg«-Blätter als fremd vor. Das wäre ein Denkspiel, um es zu verwerfen. Was wäre, wenn? Wenn angesichts von Hanns Martin Schleyer und Aldo Moro heute einer oder eine den ekstatisch-freudigen Tanz um eine Maschinerie zur Ermordung von Obrigkeiten (»Carmagnole«) oder angesichts von Zürich und Berlin die Aufforderung zum Herausreißen von Pflastersteinen und damit zur bewaffneten Selbsthilfe ins Bild setzen würde? Und wenn dabei noch der Frau die zentrale Rolle der aufrührerischen Kraft vorgeschlagen würde?

Das Werk von Käthe Kollwitz so direkt aktualisieren, also anwendbar machen, heißt, seine Brisanz stärken, aber auch: einer ahistorischen Betrachtungsweise Vorschub leisten.

Nun kann, wie in der Rezeptionsgeschichte des Werkes von Käthe Kollwitz geschehen, jeder seinen Teil abziehen (ein vielschichtiges Werk bietet sich dazu an): beispielsweise die DDR zugunsten der proletarisch-revolutionären Kunst und beim Friedensappell (noch heute findet man auf Plätzen in der DDR die unmittelbare Argumentation mit Großfotos von »Nie wieder Krieg«), beispielsweise die Volksrepublik China im Kampf gegen das soziale Elend (»Ihr so unvergleichlich zornerfülltes Kämpfen, ihre großartige künstlerische Praxis spornen uns noch heute an, ununterbrochen an der Revolution festzuhalten, eine geistige Kraft für alle Völker, die im Elend leben, sich vom Schicksal des Elends zu befreien« – die Pekinger Zeitung Renmin Ribao in einer Besprechung vom 24. Oktober 1979).

Das sind Wirkungen, die beim Benutzen in unterschiedlichen Kontexten entstehen können. Doch indem sie jeweils einen einzelnen Aspekt für das Ganze nehmen, weichen sie der komplexen und durchaus widerspruchsvollen künstlerischen Praxis der Käthe Kollwitz aus. Vernachlässigt werden vor allem die Anliegen der zweiten Phase.

Die zweite Phase / Tod

In der zweiten Phase, in der Phase der Melancholie, ist der Tod das zentrale Thema ihrer Arbeit. In einer grundlegend veränderten geschichtlichen und biographischen Situation wandeln sich die Themen, auch die Macharten.

Zwei Gründe für den Umschlag liegen besonders deutlich auf der Hand. Als Käthe Kollwitz 40 Jahre alt ist und etwas darüber, verdrängen Zweifel und Todesgedanken die früheren intuitiven Sicherheiten. Daß eine alte Welt im Begriff ist, zugrunde zu gehen, schlägt sich auch in ihrer Verfassung nieder. Die Rückschläge setzen ein.

»Werde ich merklich alt? ... Schlimm ist es, daß ich manchmal an mein Arbeiten nicht glaube. Früher sah ich nicht zur Seite, jetzt fühle ich mich angreifbar, bin manchmal arg verzagt. Auch beunruhigt mich sehr die Jugend mit ihrer anderen Richtung«, notiert sie 1912. Sie spürt »ekelhaft nüchtern alles Schwache und Rückständige an sich« (1916), eine »*geradezu entsetzliche* künstlerische Totheit« (1919), eine »gewisse Versteifung der Seele« (1922), »zeichnerische Schlappheiten« (1924): »Gefühle, die einem früher nah kamen, stehen wie hinter dicken, blinden Fensterscheiben ... ein Nichts ist in mir, weder Gedanken noch Gefühle, keine Aufforderung zum Tun, keine Stellungnahme« (1921).

Immer wieder ist vom Altern die Rede. »Wenn ich meinen Körper sehe, mein welkes Gesicht, meine alten Hände, dann werd ich mutlos« (1916); »Der letzte Grund, warum ich jetzt nicht glücklich bin, liegt wohl im Altern ... Meine äußere Anerkennung nimmt zu, man ehrt mich in allen möglichen Weisen und ahnt nicht, daß mein Arbeiten *Vergangenheit* ist. Daß es war« (1919); »Die Gefühle des Absterbens!« ruft sie 1924 aus, und im Rückblick schreibt sie 1938: »Ich finde wirklich *alt sein* ist nicht mehr so schlimm wie die Zeiten vorher. Jetzt weiß ich ungefähr, woran ich bin und erwarte nicht mehr«.

Todesgedanken kommen auf: »... rückt wohl die Zeit immer näher, wo es wirklich nicht mehr so schade ist, wenn man stirbt«, notiert die 47jährige 1914; »Ich selbst hab immer mehr das Gefühl, daß ich nicht mehr lange leben werde« (1922); »Ich kann mir gut denken, daß man vor Verstimmtheit aus der Welt geht« (1921).

Die Zweifel, das Gefühl des Alterns und die Todesgedanken haben aber auch mit dem zweiten Grund für den Umbruch im Werk um 1910/14 zu tun. Es ist der Tod des Sohnes Peter im ersten Kriegsjahr, ein Verlust, den sie nie verwinden wird. »Von da an datiert für mich das Altsein. Das Dem-Grabzugehn. Das war der Bruch. Das Beugen bis zu einem Grade, daß es nie mehr ein ganzes Aufrichten gibt. Es zeigte sich, daß ich von nun an nach unten zeige« (12. Oktober 1917). Der Verlust bestimmt das weitere Tun und Denken, das schwerer wird, sich nicht mehr direkt in bildnerische Einheit und Aktion umsetzt. »Sein Opfertod. Und dann fiel ich auch.«

Der stets bei ihr schwelende Rollenkonflikt im Dreieck Ehefrau/Mutter/Künstlerin bricht auf. Der Verlust des Sohnes nimmt ihr die Hoffnung auf die integrierende, den Konflikt auflösende Funktion der Kunst: »Ich kann das nicht alles mit eins sein« (1916), denn: »Zur Arbeit muß man hart sein und das, was man gelebt hat, aus sich heraussetzen. Wenn ich beginne das zu tun, so fühle ich wieder als Mutter, die den Schmerz nicht von sich lassen will« (1916). Präziser kann man wohl den Rollenkonflikt nicht beschreiben: zu groß ist der Schmerz der Mutter, als daß er von der Künstlerin (die in diesem Moment »hart sein« muß und nicht Mutter sein darf) abgearbeitet werden könnte. Das Ergebnis: »fürchterliche Depression« und »Stillstand in der Arbeit« (1916).

Bedeutende Werke entstehen weiterhin, doch das vage Empfinden einer Nichtidentität in der Zeit, die konkrete Trauer um den Sohn und der aufgebrochene Rollenkonflikt rufen häufige Depressionen hervor, »viel schwere verdrossene Stimmung« (1919), ein »Band der Melancholie« (1923).

Bezeichnend ist der Zweifel an der Tragfähigkeit der bis dahin von ihr verwendeten Techniken, bezeichnend das zwei Jahre dauernde Probieren von Radierung, Litho, Holzschnitt im Fall des Liebknecht-Blattes, bezeichnend die länger als ein Jahrzehnt sich hinziehende Arbeit am Denkmal für den Sohn, bezeichnend das Moment der Erstarrung in den Kriegs-Holzschnitten, die die Tiefe und die Dialektik der Vorzeichnungen eingebüßt haben, bezeichnend sind die vielen selbstkritischen, prüfenden Selbstporträts, die andeuten, daß sie selbst skeptisch war, ob sie den eigenen und den mittlerweile an sie gerichteten Ansprüchen weiter gerecht werden könne. Selbstgewißheit war ihr fremd wie nichts anderes.

Die Melancholie ist – wohl seit Walther von der Vogelweide – ein Wesenszug des einsam schaffenden Künstlers, kein Topos wie die Kehrseite der Melancholie, die fröhliche Bohème, sondern reale Erfahrung und Zwangssituation des isolierten, später entfremdeten Künstlers, dessen innere Konflikte mit der äußeren Welt im Kunstwerk nie ganz aufgehen oder aufgelöst werden.

Melancholie ist die Stimmung, die sowohl über den Selbstporträts aus der Zeit nach 1914 als auch über den Todesbildern liegt. In diesen Todesbildern wechselt das Ausatmen mit dem Einatmen, wechselt die Resignation mit der Anklage. War der Tod durch Käthe Kollwitz vorher als Schicksalsschlag formuliert worden, der den Menschen unvermittelt und ohne Angabe des Absenders trifft, so wird er jetzt dingfest gemacht als Folge von Zuständen, die als veränderbare begriffen werden. Vom Ludwig Frank – über das Liebknecht–Blatt bis zur Kriegs-Folge sind es Mord und Krieg, die als Verursacher des Todes angegeben sind.

Doch diese Bilder vom Tod handeln nur scheinbar von der Betroffenheit anderer. Im Mittelpunkt steht immer die eigene Betroffenheit: der Tod des Sohnes, das Gefühl der Nähe zum Tod. Die Anklagen sind deshalb zugleich subjektive Bilder der Vergänglichkeit: »Nie habe ich meine Arbeit kalt gemacht ..., sondern immer gewissermaßen mit meinem Blut. Das müssen, die sie sehen, spüren« (1917).

Was Käthe Kollwitz angeht, so ist die Melancholie als Hintergrund und Movens ihrer Kunst bisher übersehen worden. Ihr humanitäres Anliegen oder ihren revolutionären Impuls verabsolutieren, heißt die Gegenläufe und die Widersprüche außer acht lassen, die konstituierend sind für ein – vor allem in der Phase ab 1914 – zwar gelegentlich schwankendes, aber durch seine menschlichen und seine künstlerischen Qualitäten stets beeindruckendes Werk.

Bildformeln / Gesten

Auf der Höhe der eigenen Ansprüche und auf der Höhe der Zeit scheint Käthe Kollwitz immer dann, wenn sie, statt Gebeugtheit und Gram abzuschildern, Bildformeln erfindet, Bildformeln, in denen der Gram der anderen mit ihrem eigenen identisch ist vor dem Hintergrund eines ausgeprägten Veränderungswillens.

Der Prozeß der Entwicklung solcher Bildformeln wird in den Zeichnungen besonders anschaulich. Sie sind nicht zu verwechseln etwa mit Allegorien. Was die Bildformel bei Käthe Kollwitz ausmacht, ist das Umsetzen von Gefühl und Moral, Engagement und Appell in eine exemplarische körpersprachliche Formulierung: das erkennende Tasten der Hand am Gesicht des toten Sohnes, die eng aneinander geschmiegten, waagerecht liegenden Köpfe von Mutter und Kind, der aufschwebende Tod mit dem sich anklammernden Jungen, die antreibende Körpergestik der Schwarzen Anna, das Vorwärtsstürmen der dem Tod Geweihten (»Die Freiwilligen«), die fordernde und zugleich warnende »Nie wieder Krieg«-Geste (die längst emblematisches Allgemeingut geworden ist). In diesen Bildformeln verschränken sich Melancholie und Aufruhr, Subjekt und sozialer Tatbestand, künstlerische Phantasie und kollektives Bewußtsein.

Zumal in den Zeichnungen wird die Eindringlichkeit der Botschaft gesichert durch die kraftvolle Präsenz der ästhetischen Mittel. Mit Kreide und Kohle vor allem wird nicht *beschrieben,* sondern aus dem Zögern heraus offen, aber mit großem Nachdruck *umschrieben;* dem Betrachter ist ein imaginativer Bewegungsraum eröffnet (der in den Grafiken gelegentlich wieder geschlossen wird).

Bildprozeß / Formdialektik

Mühevoll und langwierig war bei Käthe Kollwitz oft der Prozeß der Bildfindung. Beispielsweise das »Abschieds«-Thema (Abb. S. 101): mehr als zwei Dutzend Zeichnungen aus den Jahren 1910 und 1911 sind erhalten, in denen sich Käthe Kollwitz dem Motiv der waagerecht aneinander geschmiegten Köpfe von Mutter und totem Kind annähert. Anfangs wird der Tod durch einen Knochenmann vergegenwärtigt. Dann stellt sich heraus, daß diese altertümelnd-symbolische Formulierung überflüssig ist, wenn der (durch knappe Kohlestriche angegebene) Rahmen verengt, der Ausschnitt vergrößert und zugleich durch die klammernde Geste die Dialektik von Abschied und Festhalten hergestellt wird: der Tod nach innen verlegt.

Oder »Tod und Jüngling, aufschwebend« aus den Jahren 1922 und 1923, begonnen aus Anlaß des Geburtstages des 1914 gefallenen Sohnes (ein Erinnerungsblatt also). In den ersten Fassungen, die bereits an das christliche Himmelfahrtsmotiv anschließen, sind die Figuren an die Diagonale von links unten nach rechts oben angelehnt, die wahrnehmungspsychologisch, wie Heinrich Wölfflin nachgewiesen hat, aufsteigenden Charakter hat. Diese Doppelung von aufschwebenden Figuren und aufsteigender Diagonale erscheint Käthe Kollwitz offenbar sowohl im Hoch- also auch im Querformat zu wenig spannungsreich. Im Verlauf der weiteren Arbeit wird wiederum eine Formdialektik hergestellt, und zwar dadurch, daß die Figuren nun der linken Diagonale zugeordnet werden. Jetzt schweben sie empor auf der abfallenden Schräge. Erreicht wird dadurch einerseits der Eindruck der Erlösung (Himmelfahrt), andererseits der Eindruck des Vergehens: Aufstieg und Fall in einem. Hoffnung *und* Leid werden so genauer ins Bild geholt; erst jetzt ist das tragische Moment ganz ausgebildet.

In einer Tagebuch-Notiz vom 13. Oktober 1916 formuliert Käthe Kollwitz analog: »Du bist zwei Jahre tot und bist jetzt ganz Erde. Dein Geistiges – wo? Ein solches Wiedersehen kann ich doch hoffen, daß wenn auch ich tot sein werde, wir vielleicht in neuer Form uns finden, wiederfinden. Daß wir zusammenströmen ... Ich will mit dabei sein. Stoff von Deinem Stoff und Geist von Deinem Geist. Ich will mit Dir zusammenfließen, wie ein Fluß in einen andern fließt, und dann *zusammen* weiter, vereinigt, stärker, tiefer, strömender.«

Politische Haltung / Schwankungen

Zu recht hat man Käthe Kollwitz in den 20er Jahren als verläßliche Partnerin beansprucht, wenn es um Solidaritätsbekundungen und Unterschriftenaktionen, um Flugblätter und Plakate, wenn es um den Hunger oder § 218 oder Säuglingssterblichkeit ging. Doch von heute aus sind ihre Skrupel und ihre Mühen mitzusehen: »Ich komm in den Ruf, ein weises politisches Verständnis zu haben und stümpere mir doch mühselig meine Meinung zusammen, spreche meist nach, was der Karl sagt. Ganz lächerliche Lage« (1918); »Man kann ja auch von einem Künstler, der noch dazu eine Frau ist, nicht erwarten, daß er sich in diesen wahnsinnig komplizierten Verhältnissen zurechtfindet« (1920).

Ende 1918, nach der Novemberrevolution, gilt ihre Neigung den Sozialdemokraten, nicht ohne Zweifel: »Furchtbarer Druck im Gefühl. Eben sage ich mir noch, wenn Wahl zwischen Diktatur Eberts und Diktatur Liebknechts ich bestimmt Ebert wählen würde. Auf einmal aber fällt mir ein, was die eigentlichen Revolutionären doch geleistet haben. Ohne diesen steten Druck von links hätten wir auch keine Revolution gehabt, hätten wir den ganzen Militarismus nicht abgeworfen ... Die Konsequenten, die Unabhängigen, die Spartakusleute sind auch jetzt wieder die Pioniere. Sie drängen *immer vorwärts,* wie es auch liegt. Auch wenn es Blödsinn ist, auch wenn Deutschland darüber kaputt geht«. Dennoch: »Faktisch muß man mit den Mehrheitssozialisten gehen« (8.12.1918), denn Spartakus brächte den »gänzlichen Zusammenbruch Deutschlands«.

Als aber die Regierungstruppen gegen Spartakus vorgehen, hat sie »das beklommene Gefühl, daß die Truppen nicht umsonst gerufen sind, daß die Reaktion marschiert. Außerdem ist diese rohe Gewaltanwendung, dies Schießen der Genossen – solcher, die es sein sollten – entsetzlich« (12.1.1919). Wie so viele rückt Käthe Kollwitz nach dem von Sozialdemokraten verantworteten Blutvergießen von der SPD ab. Sie ist gegen Scheidemann, wählt dennoch am 19. Januar 1919 die SPD, aber: »Meinem Gefühl nach stehe ich mehr links«.

1920 dann kommt es ihr unwahrscheinlich vor, daß sie die SPD »das Chaos wird bewältigen können«. Die »schrittweise Wandlung der Verhältnisse in den Sozialismus« hat in ihren Augen jetzt »etwas Abgeblaßtes«. Ihre Sympathie gilt der USPD und der KPD.

Dennoch scheut sie – anders als beispielsweise Grosz oder Heartfield, Schlichter oder Piscator – die Konsequenzen einer Parteinahme: »Ich schäme mich, daß ich noch immer nicht Partei nehme und vermute fast, wenn ich erkläre, keiner Partei anzugehören, daß der eigentliche Grund dazu Feigheit ist. Eigentlich bin ich nämlich gar nicht revolutionär, sondern evolutionär. Weil man mich aber als Künstlerin des Proletariats und der Revolution preist und mich immer fester in die Rolle schiebt, so scheue ich mich, diese Rolle nicht weiter zu spielen. Ich *war* revolutionär ... Wäre ich jetzt jung, so wäre ich sicher Kommunistin. Es reißt auch jetzt noch mich etwas zu der Seite, aber ich bin in fünfziger Jahren, ich hab den Krieg durchlebt und Peter und die tausend andern Jungen hinsterben sehen, ich bin entsetzt und erschüttert von all dem Haß, der in der Welt ist, ich sehne mich nach dem Sozialismus, der die Menschen *leben* läßt ... Aber wie feig ist meine Stellungnahme, wie innerlich unklar bin ich andauernd. Nicht einmal zum Pazifismus kann ich mich bekennen, ewig schwanke ich herum« (Oktober 1920).

In ihrer Kunst wirkt Käthe Kollwitz oft fester als in solchen Äußerungen; in ihrer Kunst behauptet sie eine Position, der jedoch die Zweifel eingeschrieben sind.

1921 klärt sich der politische Standort: »So weiß ich jetzt, in was für einer Illusion ich die ganzen Jahre gelebt habe, glaubte Revolutionär zu sein und war nur Evolutionär, ja mitunter weiß ich nicht, ob ich überhaupt Sozialist bin, ob ich nicht vielmehr Demokrat bin« (28.6.1921). Dies Schwanken zwischen Realismus und Utopie, Revolte und Anpassung ist nicht nur ihr persönliches Problem, ist zugleich das Schwanken der bürgerlichen Intellektuellen und der Künstler in jener Zeit und darüber hinaus.

Einkehr und Aufruf / Gegenstimmen

Sieht man das Werk von Käthe Kollwitz in seinem originären Zusammenhang mit den biographischen und den geschichtlichen Konflikten – der Rolle als Mutter und Künstlerin, dem frühen Bewußtsein von Altern und Tod, den Zweifeln bei der politischen Orientierung –, so erweist sich für mich um so deutlicher, daß es geprägt ist von der Dialektik aus Selbstbeobachtung und Eingriff in die Außenwelt, aus Innehalten und Vorwärtsdrängen, Einkehr und Aufruf, Skrupel und Anklage, ein Werk, das in meinen Augen wesentlich vielschichtiger ist als sein Ruf, ein Werk, das seine politische und seine humane Brisanz durch die persönlichen Eingaben erst gewinnt: nicht auf Theorie basiert es, sondern auf schwerer Erfahrung.

Seit den 20er Jahren hält sich gerade in den Köpfen von Kunstliebhabern die Vorstellung, dieses Werk sei gekennzeichnet durch larmoyantes Mitleiden, das weder die soziale Frage noch die Kunst vorangebracht hätte. Zwei Beispiele.

George Grosz schreibt 1949 in einem Brief an seinen Schwager Otto Schmalhausen, dem Mitdadaisten aus früheren Berliner Jahren: »Eine milde gute Frau, hat aber eigentlich nur ein ›erfundenes‹ Armeleute-Edelballett hinterlassen«. Und 1948 in einem Brief an Walter Mehring, über einen ameri-

kanischen Bildhauer berichtend: »Er zog Zille der säuerlichen Käthe vor, wobei ich herzlich zustimmte.«
Das Diktum von der »säuerlichen Käthe« wird ein anderer Künstler noch übertreffen. 1975 hält Horst Janssen anläßlich einer Preisverleihung eine Rede. In der sagt er unter anderem: »Wie begann sie? – als ganz vortreffliche Radiererin, geschult an der Grafik um Klinger und augenfällig mit Kunstgenuß. Dann konfrontierte sie das Schicksal mit dem wirklichen Elend der Jahre 18, 19, 20 etc. und die Bilder dieses Elends erschütterten sie echt und bedrängten sie und sie glaubte nicht nur anklagen zu müssen, sie wollte es auch sofort – gleich – jetzt und schnell und lautvernehmlich tun und da vertauschte sie die Radiernadel mit dem breiten Kohlestift und der weichen lithografischen Kreide und aus war's mit der Kunst. Nur noch Käthe Krusepuppen mit ausgedrückten Augen, die um Brot betteln, so daß der treffsichere Johannes Gross mir neulich zu diesem Punkt leerer theatralischer Gestik sagte: ›Ah ja – man sollte also schon deswegen den Hunger aus der Welt schaffen, damit nicht so schlechte Bilder gezeichnet werden‹.«

Ästhetik / Botschaft

Lassen wir die Zynismen beiseite, so bleibt die Frage nach dem Verhältnis von Ausdruck und Wirkung in der Kunst, eine Frage, die nicht nur *eine* Antwort hat und schon gar nicht eine Lösung. Ihren eigenen Anspruch hat Käthe Kollwitz in einer vielzitierten Tagebuch-Notiz vom November 1922 so formuliert: »Freilich reine Kunst in dem Sinne wie die Schmidt-Rottluffsche ist meine nicht. Aber Kunst doch. Jeder arbeitet, wie er kann. Ich bin einverstanden damit, daß meine Kunst Zwecke hat. Ich will wirken in dieser Zeit, in der die Menschen so ratlos und hilfsbedürftig sind«. Hier ist die Eingrenzung umrissen, und in der Eingrenzung liegt wohl die besondere Kraft dieses Werkes.
Eines ihrer Ziele ist die Volkstümlichkeit. »Es ist eine Gefahr für mich, daß ich mich zu sehr vom Durchschnittsbeschauer entferne«, schreibt sie am 21. Februar 1916 ins Tagebuch. »Ich verliere die Verbindung mit ihm. Ich suche in der Kunst, und wer weiß, ob ich nicht zum Gesuchten dabei komme?«. Diese Volkstümlichkeit hat Käthe Kollwitz erreicht, im deutschen Sprachraum wie anderswo, damals wie heute. Ihre Eingriffe wurden und werden wahrgenommen, ihre Einsprüche gehört.
Auch jemand wie George Grosz will wirken in seiner Zeit, doch nicht weil die Menschen hilfsbedürftig sind, sondern weil er »den Unterdrückten die wahren Gesichter ihrer Herren zeigen« will (1922), weil er »gegen das brutale Mittelalter und die Dummheit der Menschen unserer Zeit« kämpfen will (1924).
Wo Käthe Kollwitz mahnt und appelliert (was, ein Jahrhundert zuvor, Goya ähnlich getan hatte, stark in der Kraft des Erfindens und des Umsetzens, radikal gegen sich und andere), da ist George Grosz, der sarkastische Kritiker, mitleidlos, ganz genialer Zeichner, auch wenn er Theorie illustrativ ins Bild setzt. Der Vergleich bedarf der Einschränkung: Käthe Kollwitz wurde ins 19. Jahrhundert, George Grosz ins 20. Jahrhundert geboren. Doch wo vom Verhältnis zwischen Ästhetik und Botschaft die Rede ist, da gilt der Vergleich, der Käthe Kollwitz – bei aller Würdigung ihres Zeichenduktus und ihrer Bildererfindungen – als jemanden zeigt, dem sich um der läuternden Wirkung willen die Ästhetik der Botschaft unterordnet.
Ein anderer Fall ist (wieder in einer andern Zeit) John Heartfield. Zwar anonymisiert er seine Machart um der Mitteilung willen, aber diese Ästhetik ist eine weit vorgeschrittene, orientiert nicht an einem tradierten Kunstbegriff, sondern orientiert an den zeitgemäßen Möglichkeiten der Druckmedien.
Die Avantgarde steht damals und heute gegen Käthe Kollwitz. Wo die Inhalte in der formalen Innovation aufgehoben sind, da muß sich Widerstand gegen ein Werk wie das von Käthe Kollwitz regen. Doch davon ist weder dessen gesellschaftliche Bedeutung damals und heute noch dessen künstlerische Qualität berührt. Es gilt nicht, Marcel Duchamp gegen Käthe Kollwitz oder Käthe Kollwitz gegen Marcel Duchamp auszuspielen. Es gilt, die künstlerischen Erfahrungen und Findungen *beider* ins eigene Denken und Fühlen herüberzuholen.

1 Selbstbildnis en face, lachend
um 1888/89. Feder und Pinsel, 30,4 × 24 cm, N 7

Nur in der Frühzeit stellt sich Käthe Kollwitz selbstbewußt, ungebrochen, unbeschwert dar. Dieses Selbstporträt ist während ihrer Münchner Studienzeit entstanden. Käthe Kollwitz war damals 22 Jahre alt.

2 Selbstbildnis
um 1891/92. Feder und Pinsel, mit Pastell gehöht, 40 × 32 cm, N 32

3 Selbstbildnis
1889. Feder in Schwarz, Pinsel in Braunschwarz auf dünnem Papier, aufgezogen, 31 × 24,2 cm, N 12

4 Stehende Frau nach links
1888. Kohle, 48,6 × 38 cm, N 10

Szene aus »Germinal«, Kohlezeichnung, um 1891/92

Als man sich während des Studiums in München gegenseitig das Thema »Kampf« stellt, entscheidet sich Käthe Kollwitz für eine Szene aus Emile Zolas »Germinal«, diejenige, in der zwei Männer in einer verrauchten Kneipe um die junge Kathrin kämpfen. Diese Detailstudie stellt die verängstigt zuschauende Kathrin dar. Auf der endgültigen (gegenseitigen) Vorzeichnung zur Radierung (Klipstein 21) steht das Mädchen auf der linken Seite.

5 Selbstbildnis
1890. Feder und Pinsel in grauer Tusche, 21,5 × 17,2 cm, N 28

6 Studienblatt mit sitzendem weiblichem Akt
um 1888/89. Schwarze Kreide und Bleistift, 41 × 54 cm, N 2

Bereits in einer ihrer frühesten Zeichnungen schlägt Käthe Kollwitz hier ein Motiv an, das, eine lange ikonographische Tradition aufgreifend, in den Arbeiten der 1890er Jahre eine wichtige Rolle spielen wird: der in die Hand gestützte Kopf, eine gestische Figur für Kummer und Verzweiflung. In Selbstporträts verweist der Gestus auf die Isolation des Künstlers und seine Melancholie als Folge der Entfremdung.

7 Studienblatt
um 1896. Bleistift, Feder laviert, 50,5 × 38,8 cm, N 123

8 Lise, die Schwester der Künstlerin, im Bett
um 1890. Feder, Pinsel, 15 × 32,8 cm, N 21

9 Selbstbildnis, zeichnend
um 1891/92. Feder, Bleistift, 40,2 × 20,4 cm, N 31

10 Handstudie
1891. Feder und Pinsel, 24 × 21 cm, N40

11 Selbstbildnis

1891. Feder und Pinsel, 22,5 × 15,5 cm/33 × 24,8 cm, N 47

In diesem vor dem Spiegel entstandenen Selbstporträt beim Zeichnen imitiert die spitze Feder den harten Strich der Radierung: es handelt sich um eine Vorzeichnung, die (seitenverkehrt) in die Radierung »Zwei Selbstbildnisse« von 1891 eingegangen ist (Klipstein 8).

12 Selbstbildnis mit aufgestütztem Kopf
1897. Feder, Bleistift, 33,5 × 42,6 cm, N 142

13 Zwei Selbstbildnisse
um 1891/92. Feder laviert, 39,5 × 28,3 cm, N30

14 Selbstbildnis in ganzer Figur, sitzend
1893. Tuschfeder, laviert, 33 × 25 cm, N 87

15 Junges Paar
1893. Kohle, 43 × 55 cm, N 84

Die beiden Zeichnungen, heißt es, seien angeregt worden durch Max Halbes 1893 erstaufgeführtes Drama »Jugend«. Es handelt sich um Entwurfsskizzen zu einer Radierung (Klipstein 18).
Man hat des öfteren auf Edvard Munchs Spuren in diesem Blatt hingewiesen. 1892 hatte Munch eine nach einer Woche wegen angeblicher Verhöhnung der Kunst wieder geschlossene Ausstellung im Verein Berliner Künstler. 1893 gehörte er mit Käthe Kollwitz, Max Klinger, Max Liebermann zu denen, die in der Großen Berliner Kunstausstellung abgewiesen wurden, daraufhin die »Vereinigung der Elf« gründeten und damit die Basis für die 1899 entstandene Berliner Sezession legten.

16 Sitzende Frau mit Säugling im Schoß
1894. Rückseite des Studienblattes mit sitzendem
weiblichem Akt, um 1888/89

Max Klinger
Eine Mutter, 1883

17 Not

1895/96. Kreide und Tusche, 28,2 × 22,5 cm, N 120

Links auf dem Bett ein Mann und – liegend – ein Baby. Der Webstuhl zur Rechten läßt vermuten, daß dieses Blatt (Vorzeichnung zur Radierung Klipstein 31) im Umkreis des in diesen Jahren begonnenen grafischen Zyklus »Ein Weberaufstand« entstanden ist. Der bühnenhaften, offenen Situation wurde dann aber eine deutlicher mit dem Elend konfrontierende Lösung vorgezogen (Abb. S. 46).

18 Frau an der Wiege
1897. Feder auf weißem Zeichenkarton, 37 × 25,5 cm, N 138

19 Kniende Frau, nach links
um 1893. Feder, Pinsel, Bleistift, 42,8 × 35,8 cm, N 91

Noch einmal die Geste der an den Kopf geschlagenen Hände. Die verzweiflungsvolle Trauer wird nicht ausgemalt, sondern in einer körpersprachlichen Bildformel verknappt. Es ist dies ein Studienblatt im Zusammenhang mit der Radierung »An der Kirchenmauer« von 1893 (Klipstein 19), zu der noch weitere Zeichnungen entstanden sind. Auf der Rückseite die Studie einer Ertrunkenen.

20 Sitzende Frau, das Gesicht mit der rechten Hand bedeckend
um 1893. Kohle auf festem Zeichenkarton, 41,5 × 23 cm, N 93

21 Sitzende Frau, das Gesicht in die rechte Hand gestützt
um 1893. Kohle und Feder in schwarzer Tusche auf Zeichenkarton, 34 × 26,8 cm, N 95

Auf das verlorene Profil der voraufgegangenen Zeichnung (S. 29) antwortet dieses Blatt mit einem Dreiviertelprofil. Den Melancholiegestus wird Käthe Kollwitz in Selbstporträts noch mehrfach aufgreifen, beispielsweise in einem Relief von 1938/39, in dem der Nationalsozialismus angeprangert wird, der Künstler wie sie mundtot machte.

Die Klage, 1938

22 Straßenszene und Kinderkopf
1892. Bleistift, Feder laviert, weiß gehöht, 24,8 × 32,8 cm, N 55

23 Hans Kollwitz mit Kerze
1895. Feder, Pinsel, 19 × 17 cm, N 115

24 Unter der Tischlampe
1894. Feder, Pinsel, 24,7 cm × 33,3 cm, N 109

25 Hans Kollwitz mit Pflegerin
1894. Feder und Pinsel in Sepia, 20,5 × 27,3 cm, N 111

In den 90er Jahren entstehen zahlreiche malerisch angelegte Zeichnungen. Der lavierende Pinsel stellt räumliche Bezüge her, betont die Intimität zumal der Szenen aus der Familie. Hans Kollwitz war der erste, 1892 geborene Sohn von Käthe Kollwitz.

26 Sitzende Frau
1900. Bleistift, Feder laviert, 44,8 × 30,8 cm, N 160

27 Sitzende Frau
1900. Feder, Pinsel, 34 × 51 cm, Rückseite von N 122

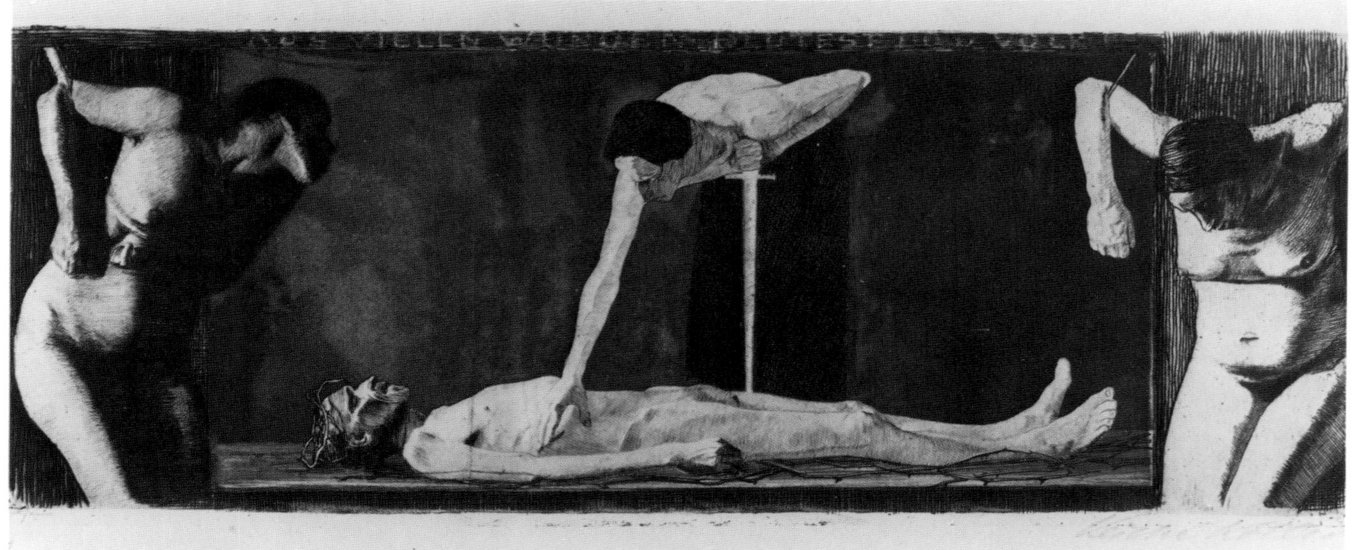

28 Aus vielen Wunden blutest du, o Volk
1896. Bleistift, 34 × 51 cm, N 122

Auf der Entwurfszeichnung »Aus vielen Wunden blutest du, o Volk« mit den beiden seitlich angeordneten Frauengestalten beruht eine gleichnamige Radierung von 1896 (Klipstein 29).

29 Gretchen
1899. Pinsel, weiß gehöht, 45,2 × 31,1 cm, N 148

30 Das Leben
1900. Feder, Pinsel, Bleistift, Kreide, weiß gehöht,
32,6 × 93 cm, N 158

Vier Jahre später greift Käthe Kollwitz in der triptychonartigen Zeichnung »Das Leben« das in seinem symbolistischen Charakter von Max Klinger inspirierte Thema noch einmal auf, das jetzt als Abschluß des Weberzyklus gedacht ist, dann aber für diesen Zweck verworfen wird. Es entsteht die Radierung »Zertretene« (Klipstein 48). Liegend das Volk, in die Wunde greifend das Leben; links (neben dem Selbstporträt) Versuchung und Leid, rechts Arbeitslosigkeit.

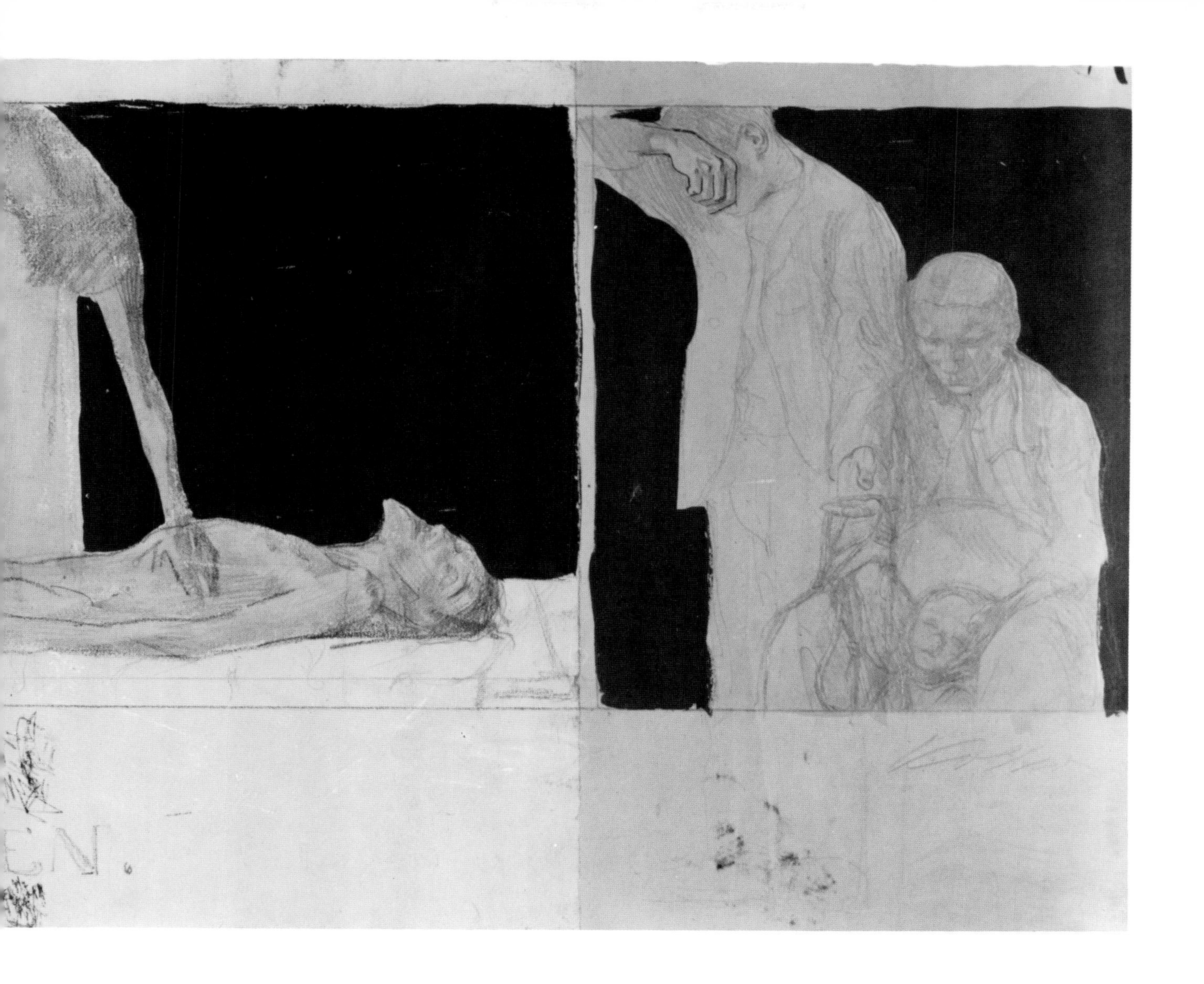

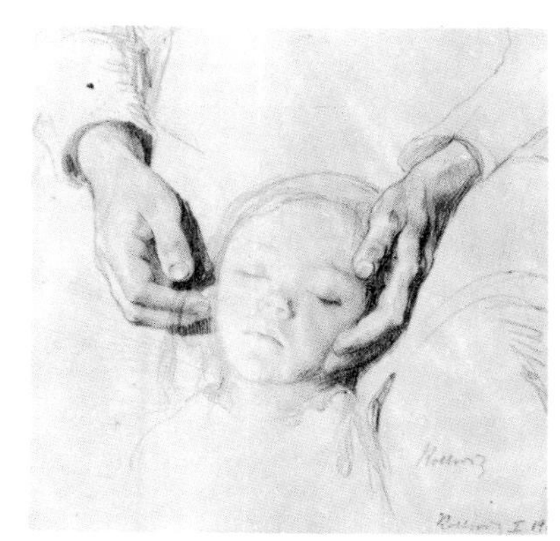

Kopf eines Kindes in den Händen
einer Mutter, 1900

31 Hockender weiblicher Akt
um 1900. Farbige Kreiden, 74,8 × 56 cm, N 170

Als diese Blätter entstehen, ist Käthe Kollwitz Lehrerin an der Künstlerinnenschule in Berlin (die sie selbst 15 Jahre zuvor besucht hatte). Sie lehrt dort auch Aktzeichnen.

32 Kniender Mann vor weiblichem Rückenakt
um 1900. Kohle und blaue Kreide, 64 × 50,1 cm, N 169

33 Selbstbildnis mit rechter Hand an der Stirn
um 1891. Feder laviert, 46,2 × 32,5 cm, N46

34 Selbstbildnis en face mit rechter Hand
um 1900. Farbige Kreiden auf getöntem Papier, 58 × 47,5 cm, N 168

35 Not
1897. Litho, »Ein Weberaufstand«, Bl. 1

Den schlesischen Weberaufstand von 1844 hatte Gerhart Hauptmann 1892 in einem Drama (»Die Weber«) behandelt, dessen Uraufführung mehrfach von der Polizei verhindert wurde. 1893 wohnte Käthe Kollwitz einer privaten Vorstellung bei. »Der Eindruck war gewaltig. Diese Aufführung bedeutete einen Markstein in meiner Arbeit« (Erinnerungen).
Die 30jährige Künstlerin greift das Motiv der leidenden, rebellierenden und schließlich unterliegenden Weber in ihrem Zyklus »Ein Weberaufstand« auf.

36 Tod

1897. Litho, »Ein Weberaufstand«, Bl. 2

»Mein technisches Können war im Radieren noch so gering, daß die ersten Versuche mißglückten. Auf diese Weise kam es so, daß die drei ersten Weber-Blätter lithographiert wurden und erst die letzten Radierungen ... auch technisch genügten« (Rückblick auf frühere Zeit, 1941).
Die wilhelminische Obrigkeit lehnt das Werk entschieden ab; seine künstlerische Bedeutung verschafft ihr Freunde unter Künstlern und Gleichgesinnten.

37 Beratung
1898. Litho, »Ein Weberaufstand«, Bl. 3

38 Weberzug
1897. Radierung, »Ein Weberaufstand«, Bl. 4

»Eine Schar zum letzten entschlossener Arbeiter ...: ein Strom ohne Anfang und ohne Ende, uniformiert durch die gleichen Lumpen, den gleichen Gesichtsausdruck, zusammengehalten durch den gemeinsamen Willen, sich das ›unveräußerliche‹ Recht auf ein menschenwürdiges Dasein zu erkämpfen« (Richard Hamann/Jost Hermand, Naturalismus, 1972).

39 Sturm
1897. Radierung, »Ein Weberaufstand«, Bl. 5

Deutlicher noch als in der Vorzeichnung steht in der Radierung eine Frau im Mittelpunkt des Geschehens. Sie reißt Pflastersteine heraus, sammelt sie, reicht sie weiter. Als Antriebskraft und als Figuration revolutionärer Ungeduld wird die Frau in Käthe Kollwitz' Werken der folgenden Jahre mehrfach auftauchen.

Mauer mit Eingangsportal, um 1896

40 Sturm
1897. Kohle, 46 × 57 cm, N 135 b

Gegenüber diesem Entwurf zur Radierung »Sturm« aus der Weberaufstand-Folge wurde in der definitiven Fassung die Gruppe mit dem Arbeiter, der Pflastersteine herausreißt, und dem Jungen daneben verändert. Gitter und Mauer sind hier lediglich summarisch angegeben.

41 Ende
1897. Radierung, »Ein Weberaufstand«, Bl. 6

42 Ende
1897. Bleistift, Pinsel, Feder, weiß gehöht, 40,9 × 49,2 cm, N 42

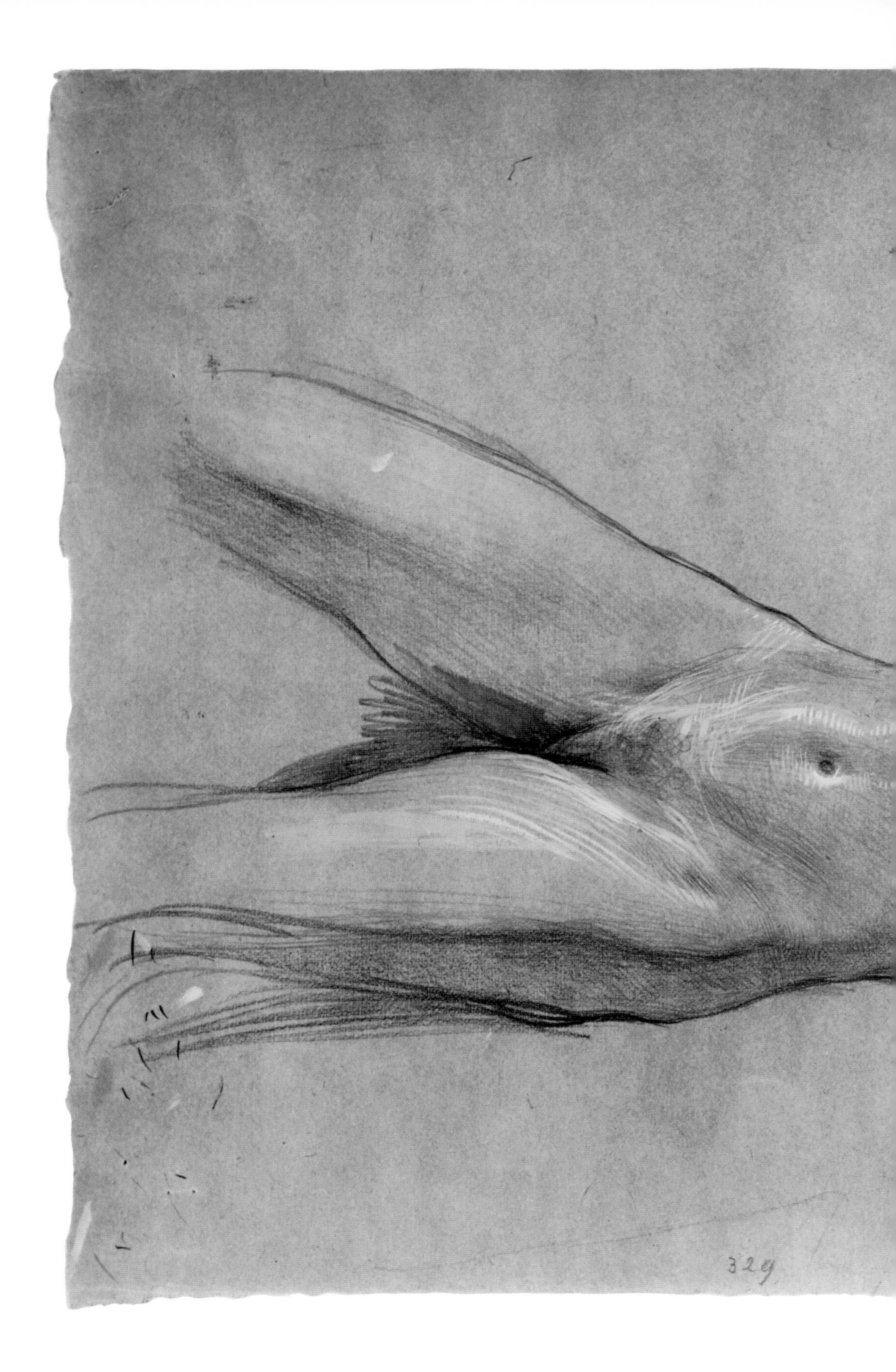
329

43 Selbstbildnis und Aktstudie
1900. Bleistift, Pinsel, weiß und gelblich gehöht,
27,8 × 44,5 cm, N 167

44 Tanz um die Guillotine
1901. Kohle auf bräunlichem Karton, 59 × 44,5 cm, N 176

Mit vier Zeichnungen bereitet Käthe Kollwitz 1901 die Radierung »Die Carmagnole« vor. Die Carmagnole ist ein Tanzlied der französischen Revolution, das 1792 bei der Erstürmung von Carmagnola in Norditalien entstand. Angeregt dazu wurde Käthe Kollwitz wahrscheinlich durch Charles Dickens' Roman »The tale of two cities« (1859).

45 Tanz um die Guillotine
1901. Bleistift, 53 × 36 cm, N 179

Käthe Kollwitz beklagt die Not, bleibt aber dabei nicht stehen: »Carmagnole«, »Bauernkrieg« und »Weberaufstand« sind zugleich brisante Aufrufe zur Gegenwehr.

Tanz um die Guillotine
Zeichnung, 1901

46 Die Carmagnole
1901. Radierung

Das wilde ausgelassene Tanzen der Vorstudie (Abb. S. 56) wird im Verlauf der Arbeit durch die Schließung der Gruppe und die emporgereckten Arme mehr und mehr zu einem ekstatischen Schrei. Die Häuser werden eingedunkelt, damit zurückgenommen; der Trommler kommt, überschnitten, schräg ins Bild, eine Momentaufnahme. In der Radierung ist das aggressive, ist dies appellative Moment vollends ausgeformt.

47 Die Carmagnole
1901. Zustandsdruck der halbfertigen Platte mit Bleistifteinzeichnungen

In den Zustandsdruck der halbfertigen Platte hat Käthe Kollwitz die noch fehlenden Figuren und die Guillotine mit Bleistift und Tusche skizzenhaft eingetragen. Sie hat dieses Verfahren mehrfach zur Annäherung an die endgültige Version einer Grafik praktiziert. Die Häuserzeilen sah Käthe Kollwitz angeblich in Hamburg.

Aufruhr, Zeichnung (verschollen), 1899

48 Aufruhr
1899. Radierung

Dieses dynamisch-kämpferische Blatt, das vor der Arbeit am Bauernkriegs-Zyklus entstanden ist, aber dessen Thema bereits behandelt, führt die Frau als antreibende Kraft des Aufruhrs ein. Die »Schwarze Anna« (Abb. S. 73) wird, irdischer, diese Rolle bekräftigen.

49 Aufruhr
1899. Bleistift, Feder, Pinsel, 36,1 × 28,9 cm, N 156

50 Pflugzieher
um 1902. Kohle, 46 × 34 cm/61,5 × 47,5 cm, N 197

51 Pflüger mit kniender Frau
um 1902. Kohle, 47,2 × 62,4 cm, N 199

Das erste Blatt des Zyklus »Bauernkrieg« stellt die Schwere der Arbeit am Beispiel Pflügender dar. Anfangs kehrt Käthe Kollwitz durch die behelmte Figur – Personifikation des Adels – die Ausbeutung hervor. Dann wird die symbolische Formulierung durch eine eher realistische ersetzt.

Th.-A. Steinlen
Ausbeutung, 1894

52 Pflüger mit kniender Frau
um 1902. Kohle, weiß gehöht, 49,5 × 64,5 cm, N 201

Die Szene wird im Verlauf der Studien auf den Gegensatz Pflüger-Frau verknappt. Dabei stehen die Pflüger für das Leiden und die Aussichtslosigkeit, während die Frau als erkennende Zeugin um das Leid weiß und im Wissen Zukünftiges in sich aufbewahrt: die Möglichkeit der Veränderung, die Möglichkeit des Sich-zur-Wehr-Setzens.

53 Pflüger mit stehender Frau im Vordergrund
1905. Bleistift und Kohle, 48 × 62,5 cm, N 207

Diese Zeichnung ist ähnlich als Radierung (Klipstein 92) verwirklicht, jedoch für die Bauernkriegs-Folge verworfen worden. Die Frau wird hier mehr und mehr zur Präfiguration der Schwarzen Anna: Schlüsse aus der Unterdrückung ziehend, wenn auch noch nicht handelnd.

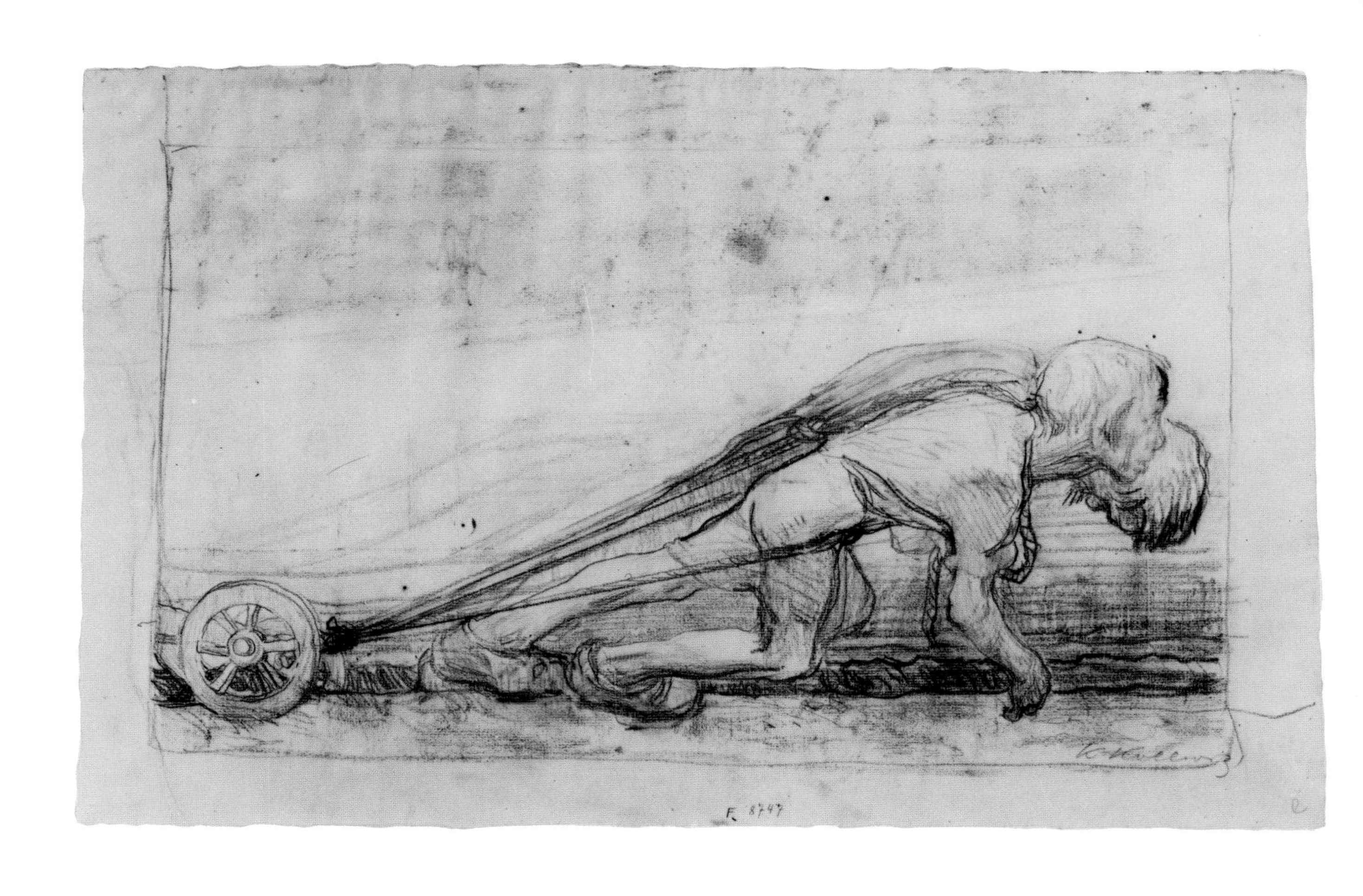

54 Die Pflüger
1906. Bleistift, 28 × 46 cm, N 210

Möglicherweise um die Bedeutung der Schwarzen Anna in dem Blatt »Losbruch« zu verstärken, verzichtet Käthe Kollwitz in der Vorzeichnung zum definitiven ersten Blatt im Bauernkriegs-Zyklus auf die Frau. Jetzt steht – bildfüllend, bildparallel – die eher linear angegebene, also bildnerisch vereinfacht dargestellte Last der Arbeit im Vordergrund. Ein Zustand wird exemplarisch geschildert; Folgerungen und Handlungsanweisungen werden auf die nächsten Blätter des Zyklus übertragen.

55 Die Pflüger
1906. Radierung, »Bauernkrieg«, Bl. 1

56 Vergewaltigt
1907. Radierung, »Bauernkrieg«, Bl. 2

Der Bauernkrieg von 1524/25 war die erste revolutionäre Bewegung einer ganzen Klasse in Deutschland. Die Bauern forderten eine gerechtere soziale Ordnung, die Abschaffung der Leibeigenschaft und der drückenden Abgaben.

57 Beim Dengeln
1905. Radierung, »Bauernkrieg«, Bl. 3

Angeregt von W. Zimmermanns »Geschichte des großen deutschen Bauernkrieges« (1844), in der auch von der Schwarzen Anna, einer Bäuerin, die die Kämpfenden antrieb, berichtet wird, schuf Käthe Kollwitz von 1903 bis 1908 ihren grafischen Zyklus.
Indem Käthe Kollwitz ein historisches Ereignis behandelt, befaßt sie sich – wie in der Weber-Folge – vor allem mit der aktuellen Not der Unterprivilegierten.

58 Bewaffnung in einem Gewölbe
1906. Radierung, »Bauernkrieg«, Bl. 4

59 Losbruch
1903. Radierung, »Bauernkrieg«, Bl. 5

Die Schwarze Anna, Illustration aus W. Zimmermann, Geschichte des großen deutschen Bauernkrieges, 1844

60 Losbruch

um 1902. Schwarze Kreide, 55 × 65 cm, N 188

Die aus den Pflüger-Entwürfen (Abb. S. 66) verschwundene Frau taucht hier als aktive, antreibende Kraft wieder auf. Die Konfrontation von bildzentral im Vordergrund postierter Frau (hier zeichnerisch nur vorläufig und flüchtig skizziert) und den im spitzen Winkel im Mittelpunkt Losstürmenden verstärkt das dynamische Element, kehrt den aufrüttelnden Charakter hervor. Die Frau als Anführerin und Inbegriff der Freiheit auch bei Delacroix (»Die Freiheit führt das Volk auf die Barrikaden«), Steinlen (»Die Befreier«) und Barlach (»Revolutionsszene«).

Frau mit erhobenen Händen
um 1901/1903

61 Die Schwarze Anna
um 1902. Bleistift, schwarze Kreide, weiß gehöht,
58,4 × 43 cm, N 191

Bei Käthe Kollwitz liegt das aufrührerische Potential sowohl in den Handlungsgebärden als auch in der heftigen (»zornigen«) Zeichenweise.

62 Losbruch
1903. Bleistift, 47,8 × 61,9 cm, N 190

63 Mutter mit totem Sohn
1907. Bleistift, 53 × 36 cm, N 408

64 Toter Junge
1907. Kohle, 46,8 × 62,5 cm, N 413

Goya, Die Schrecken des Krieges

65 Schlachtfeld
1907. Kohle und Kreide auf braunem Tonpapier,
41 × 52,5 cm, N 410

66 Schlachtfeld
1907. Schwarze Kreide, weiß gehöht, auf grauem Ingres-Papier,
40 × 35 cm, N 412

67 Schlachtfeld
1907. Radierung, »Bauernkrieg«, Bl. 6

68 Die Gefangenen
1908. Kohle, 40,3 × 55,2 cm, N 428

Im frühen Stadium der Entwürfe zur Radierung »Die Gefangenen« für den Bauernkriegs-Zyklus werden die Figuren in der Tiefe gestaffelt, bilden Gruppen. Als die grob skizzierende Kohlezeichnung der den genaueren Plan entwickelnden Bleistiftzeichnung weicht, führt die Straffung zur Isokephalie, zur gleichgroßen, gleichrangigen Anordnung von Personen. Die zentrale Rückenfigur verschwindet; das Bild des gefesselten Jungen (Modell war Käthe Kollwitz' Sohn Peter) füllt die Lücke in der rechten Hälfte aus.

Knabenkopf und zwei gefesselte Arme, 1908

69 »Peter zu Gefangenen«
1908. Bleistift, 47 × 65,3 cm, N 437

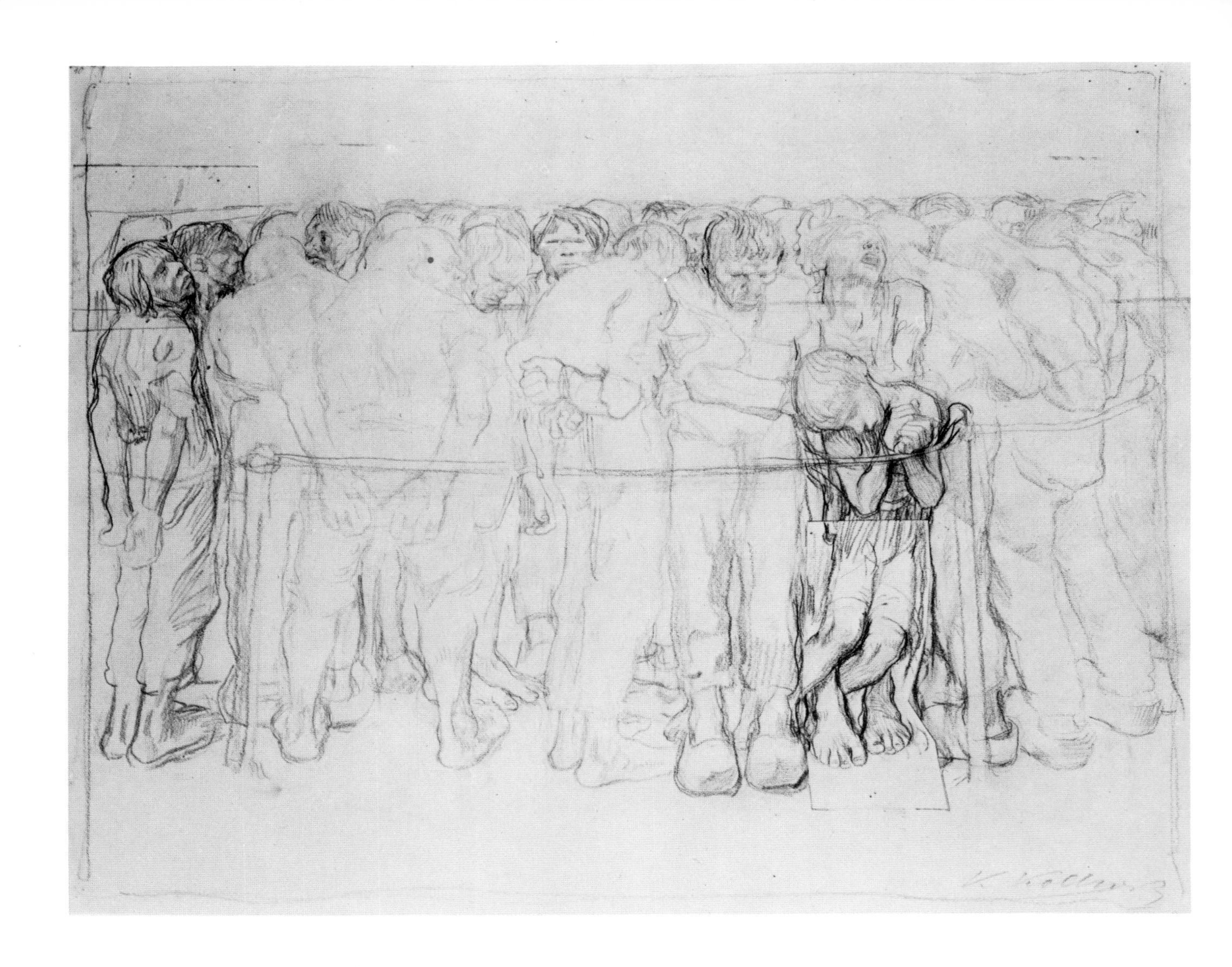

Gefesselter Bauer, 1908

70 Die Gefangenen

1908. Bleistift auf graugrünem Papier, 33,2 × 43,1 cm, N 430

Insgesamt sind sechs Entwürfe zur Radierung »Die Gefangenen« bekannt. Dieses Blatt mit dem Klebekorrekturen geht der Radierung unmittelbar voraus.

71 Die Gefangenen
1908. Radierung, »Bauernkrieg«, Bl. 7

»Seinen künstlerischen Höhepunkt erlebt das proletarische Massenbild bei Käthe Kollwitz, die in ihren Radierungen zu Hauptmanns ›Webern‹ zum ersten Mal den modernen Klassenkampf zum Bildthema erhob. In ihrer Schärfe gehen die Blätter fast über Hauptmanns Tendenzen hinaus und bemühen sich, das zu Ende zu führen, was dort in Rücksicht auf die Aufführbarkeit nicht gewagt werden konnte: die Darstellung einer kleinen, aber aggressiven Gruppe, die entschlossen zur Waffe greift, um die herrschende Gesellschaftsordnung auseinanderzusprengen ...
Ebenso ›revolutionär‹ wirkt ihr graphischer Zyklus ›Der Bauernkrieg‹ ... Naturalismus und Symbolismus verbinden sich hier zu einer Aussagekraft, die ... sich zu einem sozialen Realismus verdichtet, der sowohl naturalistische als auch geistig-interpretierende Elemente enthält« (Richard Hamann/Jost Hermand, Naturalismus, 1972).

72 Selbstbildnis mit aufgelegter Hand
1905. Kohle auf Ingres-Bütten, 36,7 × 31,4 cm, N 388

73 Inspiration
1904/05. Kohle, Bleistift, 36,5 × 26 cm, N 293

74 Inspiration
1905. Schwarze Kreide auf Ingres-Bütten, 62 × 34,8 cm, N 298

Inspiration
Radierung, 1905

75 Inspiration
1904/05. Kohle, 35 × 22 cm, N 294

»Das Blatt ›Inspiration‹ ist eine selbständige Arbeit aus dem Umkreis des ›Bauernkrieges‹, thematisch steht es dessen 3. Blatt ›Beim Dengeln‹ nahe. Es bezeichnet die Überführung des Motivs der Eingebung aus der Sphäre der Evangelisten, Dichter und Künstler, in der die Inspiration traditionell ihren Ort hat, ins Proletariat, wo Inspiration – der durch Erfahrung von Unterdrückung und Ausbeutung gewonnene Impuls zum ›Losbruch‹ – für den subjektiven Faktor in der geschichtlichen Entwicklung steht«
(Frankfurter Kollwitz-Katalog 1973).

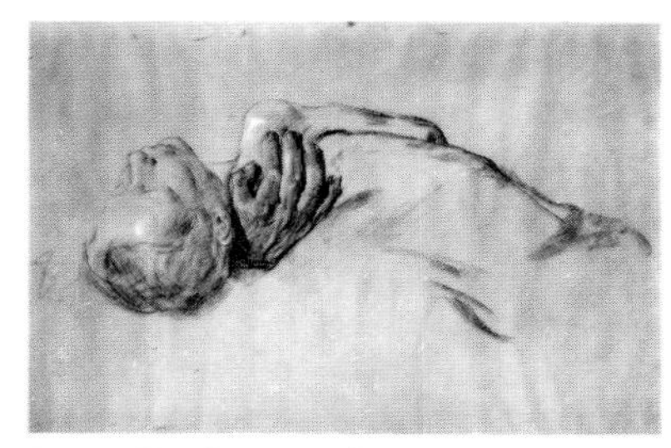

Toter Knabe von einer
Hand gestützt, 1903

76 Frau mit totem Kind
1903. Kohle, Bleistift, 45,5 × 59,5 cm, N 232

77 Frau mit totem Kind
1903. Kohle, Rötel, weiß gehöht, 42,8 × 48 cm/
46,2 × 56,8 cm, N 242

»Eine Mutter, nackt, von übermenschlich kräftigem Körperbau, mit übereinandergeschlagenen Beinen am Boden sitzend, preßt vornübergebeugt den Leib ihres toten Kindes an sich« (Käthe Kollwitz).

Frau mit totem Kind, Radierung, 1903

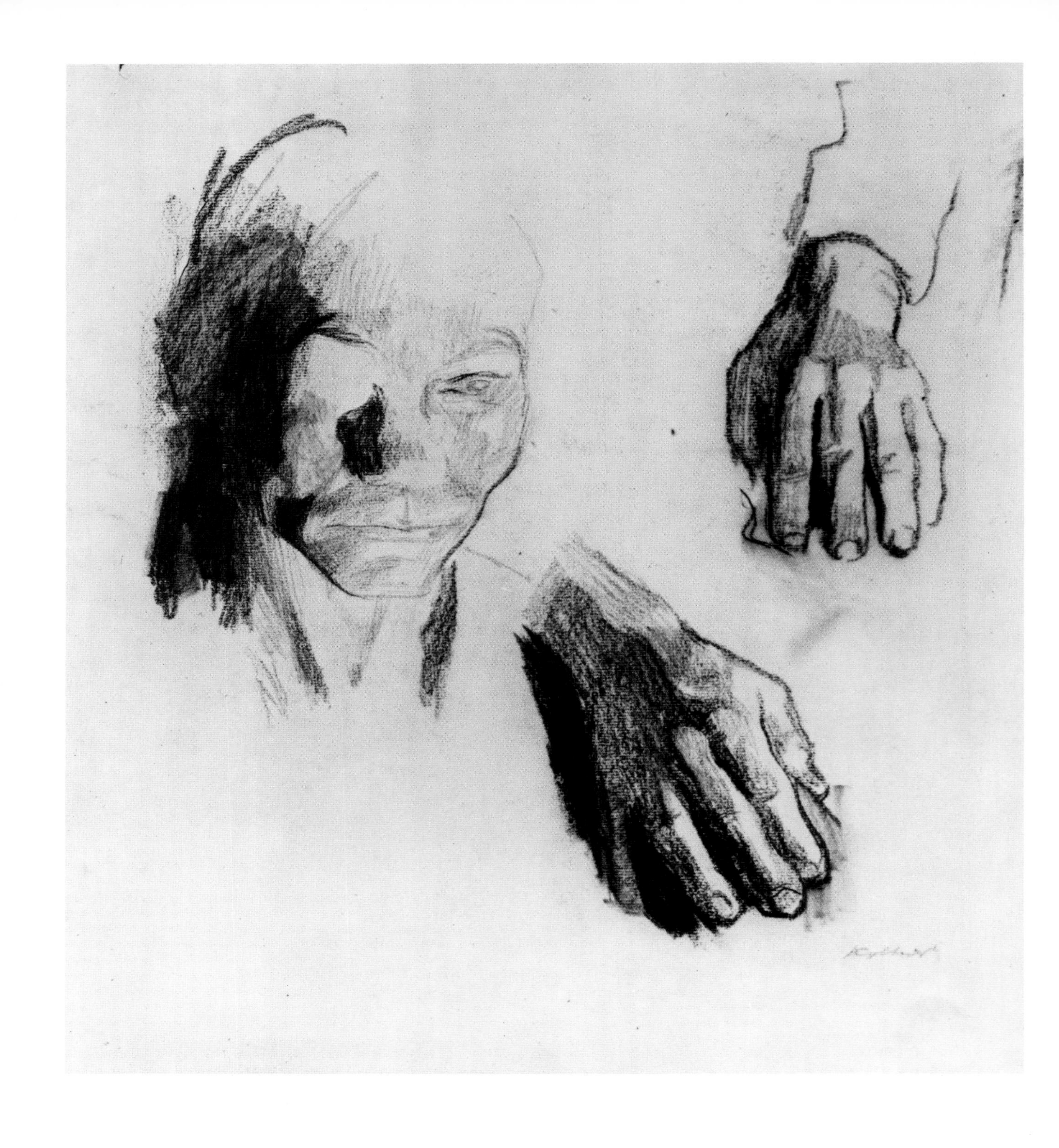

78 Kopf- und Händestudien
1906. Kohle, 42,5 × 38 cm, N 407

79 Schlafender Knabe und Kopfstudie
1903. Kohle, Pinsel, Pastell, 50-50,9 × 60,9-63,5 cm, N256

80 Stehender Arbeiter
um 1904-06. Kohle, 67 × 47,5 cm, N 304

81 Razzia
um 1909/10. Kohle, 50,5 × 33 cm, N 554

82 Kohlenstreik
um 1909/10. Bleistift, Kohle, 60 × 47,5 cm

83 Kohlenstreik

um 1909/10. Kohle, weiß gehöht, 52 × 46,9 cm / 65,3 × 46,9 cm, N 556

Die Zeichnung trägt auch den Titel »Razzia«. Offenbar werden Streikende oder Aufrührer von der Polizei abgeführt. Oder werden Streikbrecher von der Polizei geschützt? Diese beiden Blätter sind selbständige Arbeiten; Grafiken sind danach nicht entstanden.

84 Weihnacht
1909. Kohle auf Ingres-Bütten, 56,8 × 44,6 cm, N 503

85 Heimarbeit
1909. Schwarze Kreide auf Ingres-Bütten, 58,2 × 45 cm, N 498

Bereits 1897 hatte sich Käthe Kollwitz im Weberzyklus und noch einmal 1906 in ihrem ersten Plakat (das auf Veranlassung der Kaiserin an den Berliner Litfaßsäulen überklebt werden mußte) mit dem Thema Heimarbeit befaßt.
Diese Zeichnung wurde am 1. November 1909 innerhalb einer Folge »Bilder vom Elend« im Simplicissimus veröffentlicht. »Das Rasch-fertig-sein-müssen, die Notwendigkeit, eine Sache populär ausdrücken zu müssen, und doch die Möglichkeit – da es doch eben für den Simpel ist –, künstlerisch bleiben zu können, vor allem aber die Tatsache, vor einem großen Publikum des öfteren aussprechen zu können, was mich immer wieder reizt und was noch lange nicht genug gesagt worden ist: die vielen stillen und lauten Tragödien des Großstadtlebens – das alles zusammen macht, daß mir die Arbeit außerordentlich lieb ist« (Briefe an Beate Bonus-Jeep, 1907 oder 1909).

86 Porträtstudie einer Arbeiterfrau
1910. Schwarze Kreide auf Ingres-Bütten, 32 × 24,5 cm/
44,5 × 46,5 cm, N 587

87 Selbstbildnis mit aufgestütztem rechten Arm, die Hand an der Stirn
um 1911 (?). Schwarze Kreide auf blaugrauem Ingres-Papier, 42 × 42 cm, N 692

»Mitunter fühle ich mich fast gelähmt. Mitunter elastisch. Schlimm ist es, daß ich manchmal an meine Arbeiten nicht mehr glaube. Früher sah ich nicht nach der Seite, jetzt fühle ich mich angreifbar, bin manchmal arg verzagt. Auch beunruhigt mich zu sehr die Jugend mit ihrer anderen Richtung. Hätte ich große Kraft in mir, würde ich mich wenig kümmern, jetzt fühle ich keinen Nachhall, komm mir zum alten Eisen geworfen vor. Das ist auch so. Und das einzige, was man tun kann, Scheuklappen vorzunehmen und für sich zu büffeln und sich um nichts anderes zu kümmern«
(Sylvester 1912/13).

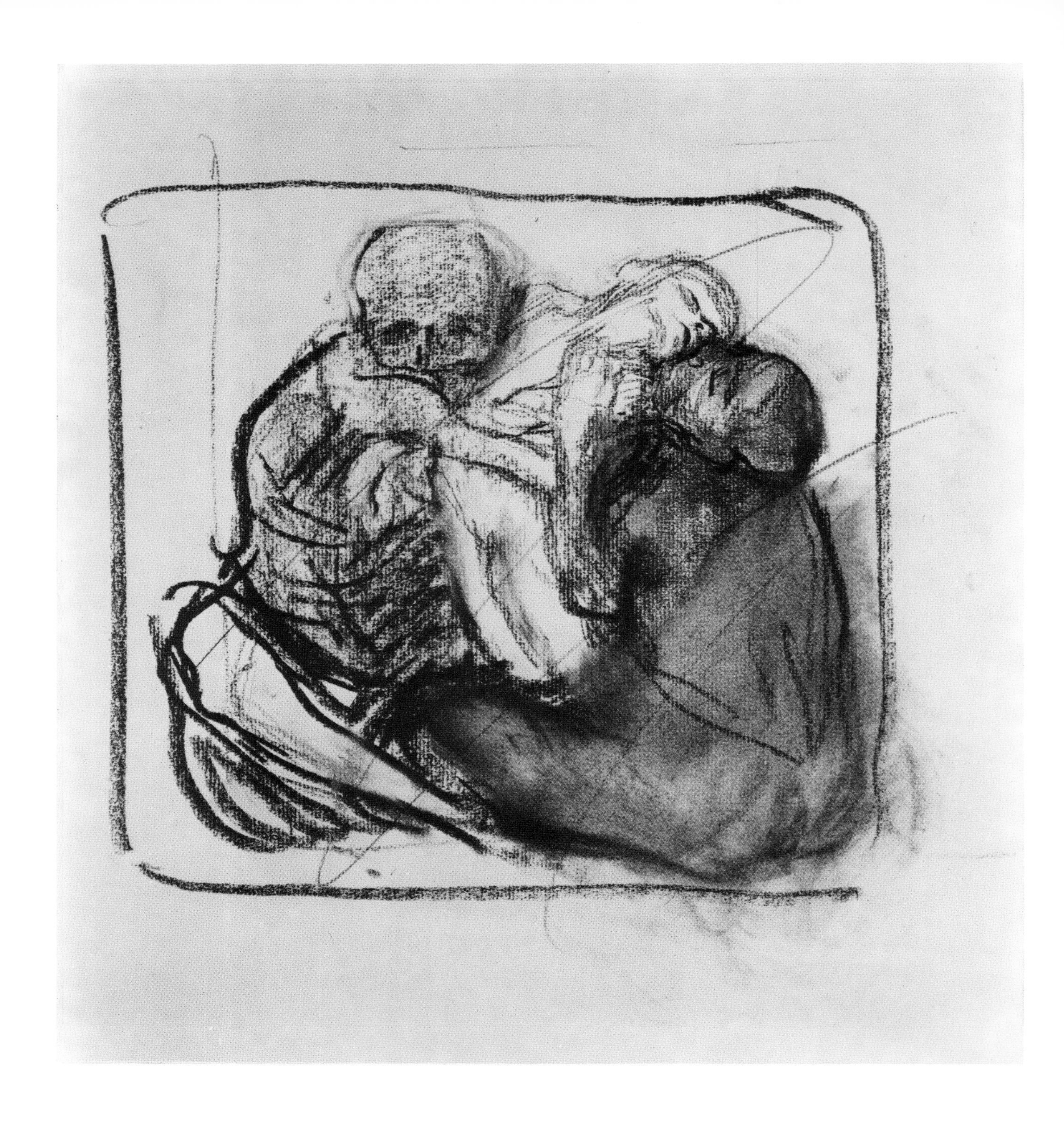

88 Tod, einer Mutter das Kind entreißend
1911. Kohle, 23,5 × 24,4/62,5 × 47,8 cm, N638

Die Zeichnung ist von Käthe Kollwitz selbst durchgestrichen, die darauf zurückgehende Radierung (Klipstein 116) ebenfalls von ihr verworfen worden.

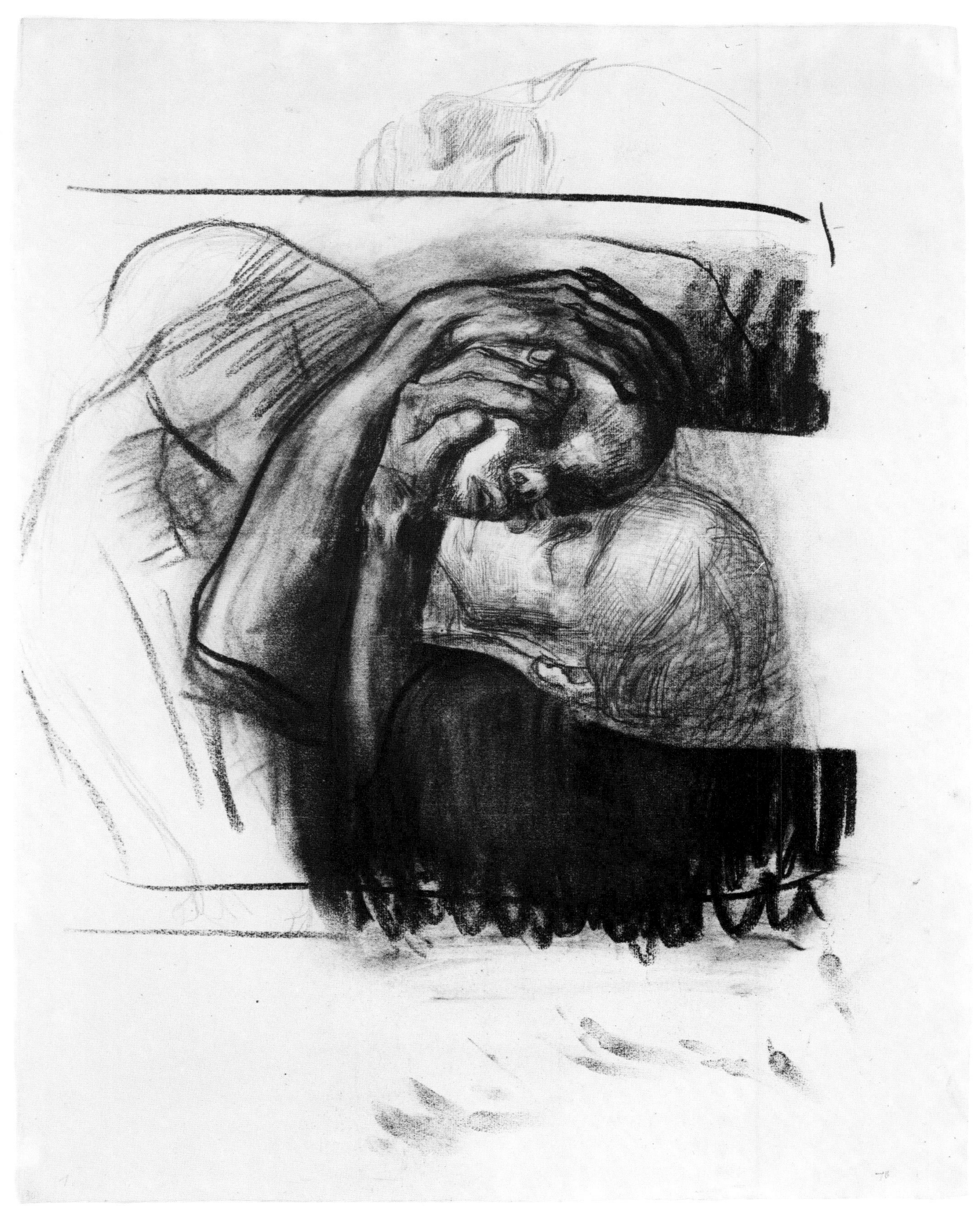

89 Abschied
1910. Kohle auf Ingres-Bütten, 63 × 47,8 cm, N 604

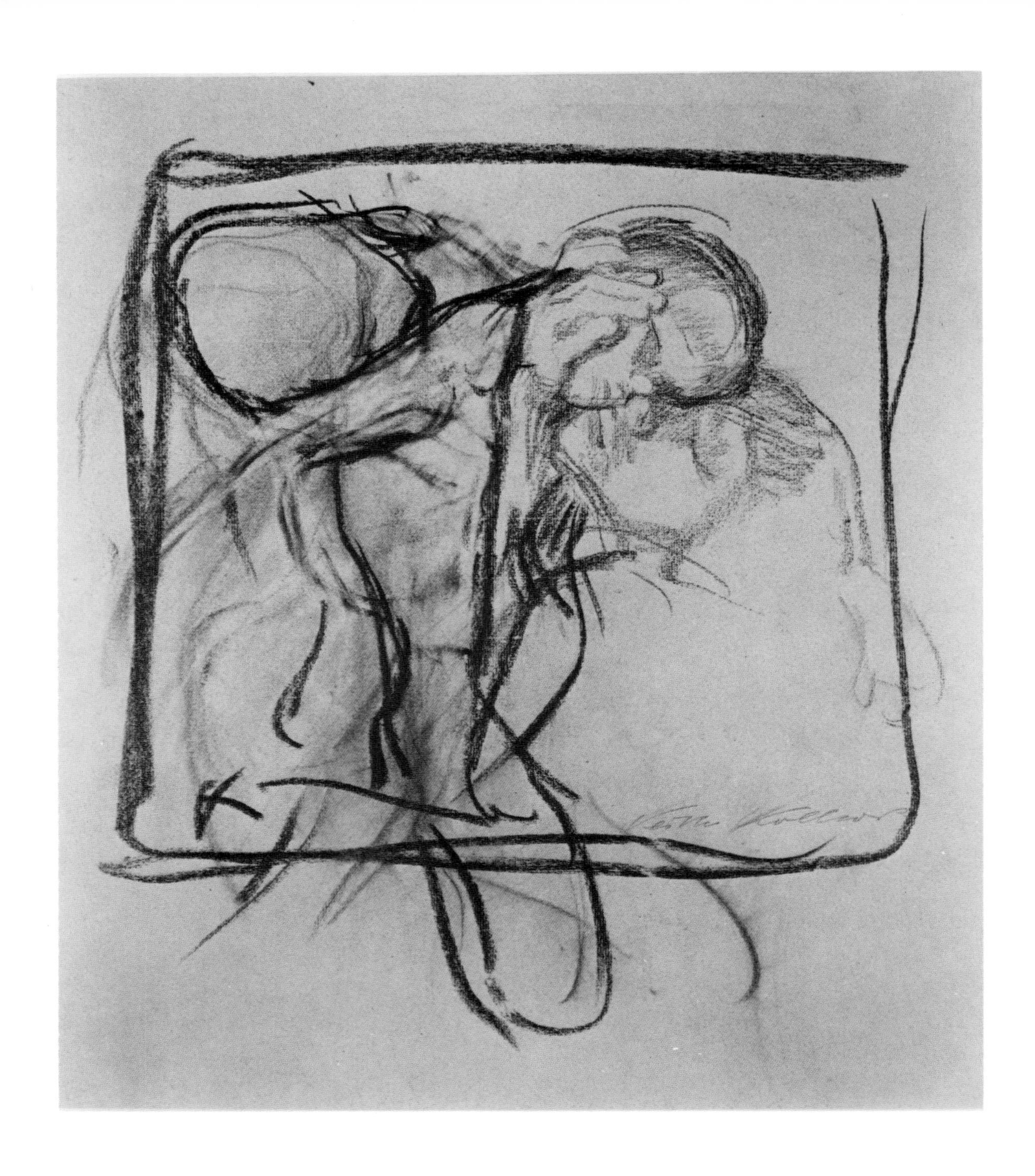

90 Abschied
1910. Kohle auf graugrünem Ingres-Papier, 44 × 40 cm/
62,5 × 48,5 cm, N 596

Das Aufruhr-Thema kommt bei Käthe Kollwitz nach 1910 kaum noch vor. Von nun an wird der Tod zum vorherrschenden Motiv in ihrem Werk.
Vorstudien zur Radierung »Tod, Frau und Kind« (Klipstein 113). Mit dem Rahmen wird auf diesem Blatt – wie mit einem Sucher – ein enger, möglichst bildsprengender Ausschnitt bestimmt, auf dem dann die weiteren Entwürfe basieren.

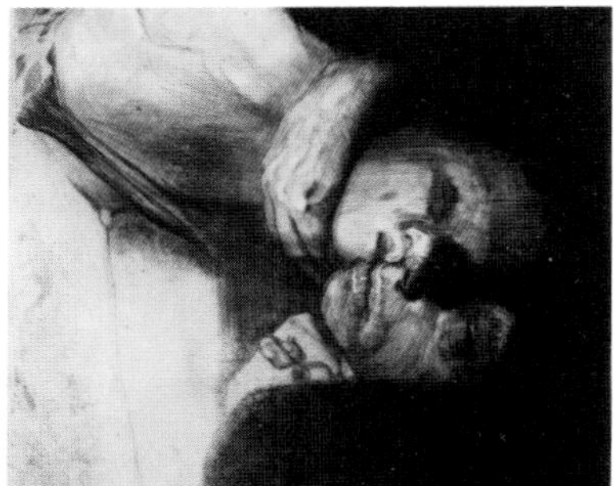

Tod, Frau und Kind, Radierung, 1910

91 Tod, Frau und Kind
1910. Schwarze Kreide, 56 × 45,5 cm, N 608

92 Menschengruppe auf der Straße
um 1910. Kreide, 46,8 × 61,5 cm, N 580

93 Frauengefängnis
1912. Kohle, 48 × 63,5 cm, N694

»Den Anlaß zu dieser Skizze bietet die Berliner Ausstellung ›Die Frau in Haus und Beruf‹. Sie erbat von mir die zeichnerische Behandlung des Themas: Frauengefängnisse. Ich machte zwei Zeichnungen, eine Frau, die im Gefängnis entbindet, und die Einlieferung einer Frau mit ihren Kindern in den allgemeinen Raum. Ich besuchte zu dieser Zeit wiederholt Gefängnisse« (Das neue Kollwitz-Werk, 1933).

94 Märzfriedhof
1913. Schwarze Kreide auf Rötel, 62,5 × 48 cm, N 708

»Den Friedhof der Märzgefallenen besuchte ich alljährlich am 18. März. Die Arbeiter zogen in langsamem Zuge vom Morgen bis zum Abend in langer Reihe an den Gräbern vorbei ... Der 18. März war vor dem Kriege ein Tag, den die ganze rote Arbeiterschaft einmütig feierte« (Das neue Kollwitz-Werk, 1933).
Erinnerung an die 190 Toten, die im März 1848 in Berlin bei Barrikadenkämpfen fielen. Käthe Kollwitz behandelt nicht das historische Ereignis (das Menzel in seinem Bild »Aufbahrung der Märzgefallenen« dokumentiert hat), sondern das alljährliche Gedenken an die Revolutionäre im Berliner Park Friedrichshain, also den aktuellen Bezug.
Die Zeichnungen sind Entwürfe für die Lithographie (Klipstein 124 und 125), die als Mitgliedsgabe von der Freien Volksbühne in Auftrag gegeben wurde.

95 Märzfriedhof
1913. Kohle auf Ingres-Bütten, 32,9 × 28,2 cm/
63 × 47,3 cm, N 713

Märzfriedhof, Litho 1913

Weniger die Geschichte als die Gegenwart und die Zukunft meinte auch Max Klinger mit seinen »Märztagen«: »Ich habe nie an die Revolution von 1848 gedacht! ... Damals war die Zeit der schärfsten Sozialdemokratie mit revolutionärem Hintergrund in Deutschland. Und die Möglichkeiten wurden am Biertisch und in den Blättern diskutiert. Das war der Mutterboden meiner Fantasie ... Um die Zeit lief ein Schlagwort durch die Presse; der Frühling, insbesondere der März, sei der Zeitpunkt der Gährung in der Natur und in der Politik und das Wort ›Märztage‹ las ich damals öfters in politischen Artikeln« (Klinger 1916).

Max Klinger, Märztage II
Radierung, 1892

Mutter, Litho, 1919

96 Leidendes Volk
1918. Kohle, 63,5 × 47,6 cm, N755

97 Mutter, ihre beiden Kinder umarmend
1919. Kohle auf blaugrauem Papier, 48 × 39 cm, N 761

»Ich habe die Mutter gezeichnet, die ihre beiden Kinder umschließt, ich bin es mit meinen eigenen leibgeborenen Kindern, mit meinem Hans und meinem Peterchen« (6. 2. 1919). Peter war 1914 gefallen.

98 Stehende Mutter, Säugling ans Gesicht drückend

1915. Kohle und Pinsel, 59 × 44 cm, N 722

Das Blatt gehört wohl in den Themenbereich »Opfer«, den Käthe Kollwitz vor allem in der Kriegsfolge behandeln wird: sie verachtet den Krieg, aber den Tod ihres Sohnes will sie dennoch als notwendiges Opfer verstehen.

99 Drei Frauen, Opfer darbringend
1915. Kohle, 49,3 × 69,9 cm, N 724

»Ich arbeite an der Darbietung. Ich mußte – es war direkt ein Zwang – alles ändern. Die Figur bog sich von selbst unter meinen Händen – wie nach eigenem Willen – nach vorn über. Nun ist sie nicht mehr die Aufrechte. Ganz tief bückt sie sich und reicht ihr Kind dar. In niedrigster Demut« (Tagebuch 27.4.1915).

100 Dem Andenken Ludwig Franks
1914. Kohle, 47,7 × 63,3 cm, N 717

Hier kommt das Motiv der Trauernden auf, die hinter einem (bildparallel angeordneten) Aufgebahrten stehen. Im Liebknecht-Blatt kehrt das Motiv fünf Jahre später wieder. Ludwig Frank, sozialdemokratischer Reichstagsabgeordneter, war 1914 als Kriegsfreiwilliger gefallen. Das Gedenkblatt ist sicher auch als Epitaph für den ebenfalls kurz nach Kriegsbeginn gefallenen Sohn Peter zu verstehen.

101 Gedenkblatt für Karl Liebknecht
1919. Kohle, 41,9 × 61,6 cm, N 777

Kopf des toten Karl Liebknecht
Kohlezeichnung, 1919

»Heute ist Karl Liebknecht begraben und mit ihm 38 andere Erschossene. Ich durfte eine Zeichnung nach ihm machen und ging früh nach dem Schauhause. In der Leichenhalle neben den anderen Särgen stand er aufgebahrt. Um die zerschossene Stirn rote Blumen gelegt, das Gesicht stolz, der Mund etwas geöffnet und schmerzhaft verzogen ... Ich ging dann mit den Zeichnungen nach Haus und versuchte, eine bessere zusammenfassende Zeichnung zu machen« (25. 1. 1919).

102 Gedenkblatt für Karl Liebknecht
1919. Kohle, Klebekorrekturen, 53 × 63,3 cm, N 773

103 Gedenkblatt für Karl Liebknecht
1919. Litho, Kohlezeichnung, 42 × 66 cm

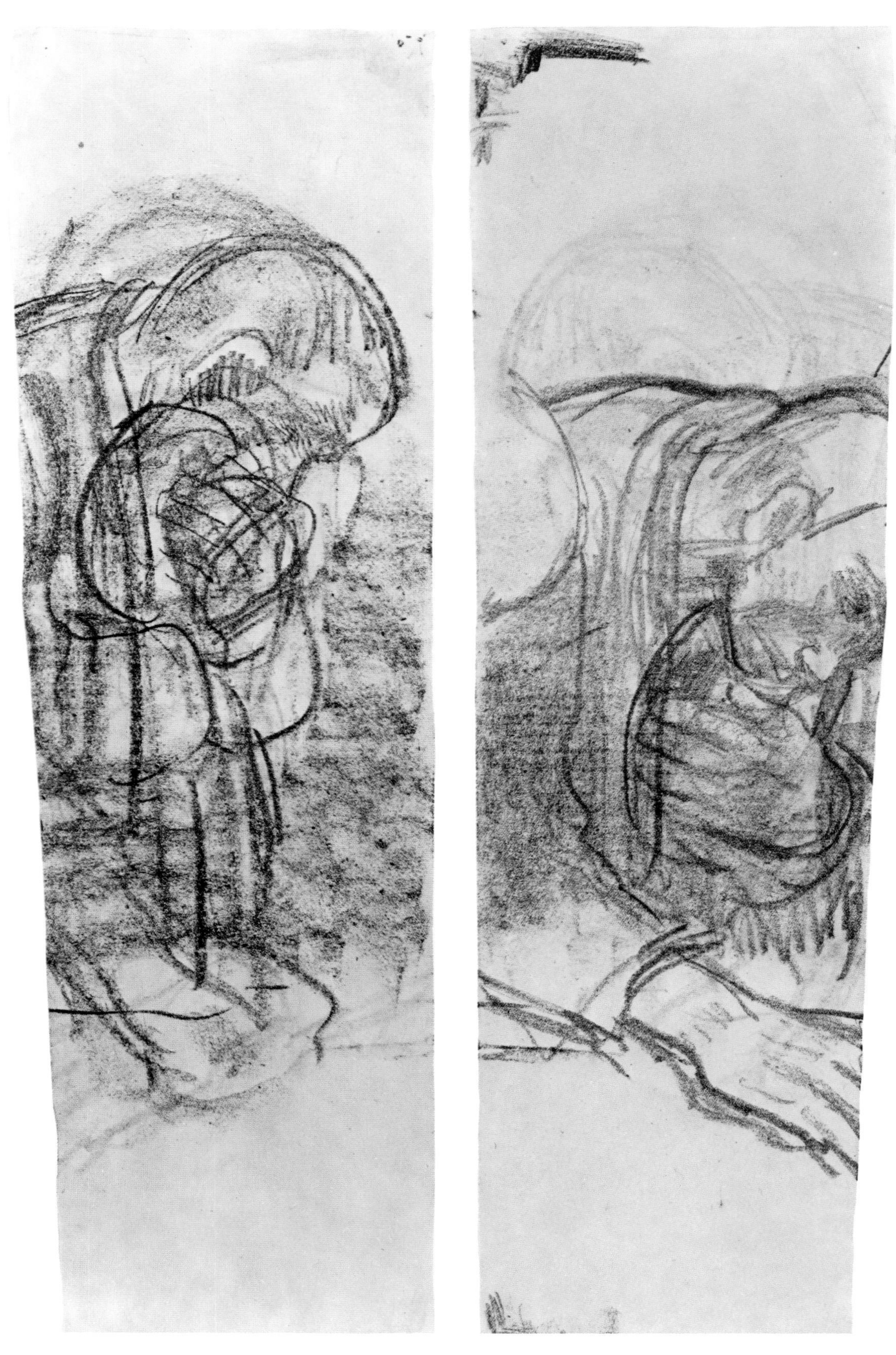

104 Sich niederbeugender Mann
1919. Kohle, 45,4 × 11,5 cm, N 782

105 Sich tief niederbeugender Mann
1919. Schwarze Kreide, 62 × 47 cm, N 787

106 Gedenkblatt für Karl Liebknecht
1920. Pinsel in Tusche auf grünem Bütten, 34,5 × 50 cm/ 44 × 58,5 cm, N 781

An das Gedenkblatt für Ludwig Frank (1914) anknüpfend, deutet Käthe Kollwitz das ursprünglich christliche Motiv der Beweinung als Abschied der Arbeiter von Liebknecht um. Die Bildfläche wird bis an ihren oberen Rand dicht mit den Köpfen weiterer Trauernder gefüllt.

107 Gedenkblatt für Karl Liebknecht
1919. Radierung

»Ich war politischer Gegner, aber sein Tod gab mir den ersten Ruck zu ihm hin. Später las ich dann seine Briefe, was zur Folge hatte, daß seine Persönlichkeit mir im reinsten Licht erscheint. Der gewaltige Eindruck, den die Trauer der Hunderttausende an seinem Grabe machte, hat sich mir schon damals umgesetzt in eine Arbeit. Als Radierung begonnen und verworfen, versuchte und verwarf ich es von neuem als Steindruck«
(21.1.1921).

Ernst Barlach, Revolutionsszene
Zeichnung, 1896

108 Gedenkblatt für Karl Liebknecht
1919/20

Nachdem sie die radierte und die lithographierte Fassung verworfen hat, schneidet Käthe Kollwitz das Liebknecht-Thema, angeregt von Ernst Barlach, in Holz: endgültige Version nach zweijährigem Suchen. Das monumental wirkende Blatt existiert auch in einer großen, unsignierten Auflage (die 1920 zugunsten einer Arbeiter-Kunstausstellung in Berlin vertrieben wurde) mit Schrift. Mit der Zeile »Die Lebenden dem Toten« (Zusatz: »Erinnerung an den 15. Januar 1919«) spielt Käthe Kollwitz auf ein Gedicht von Ferdinand Freiligrath (»Die Toten an die Lebenden«) an, das sie von Jugend auf kannte und das den Opfern der Revolution von 1848 galt.

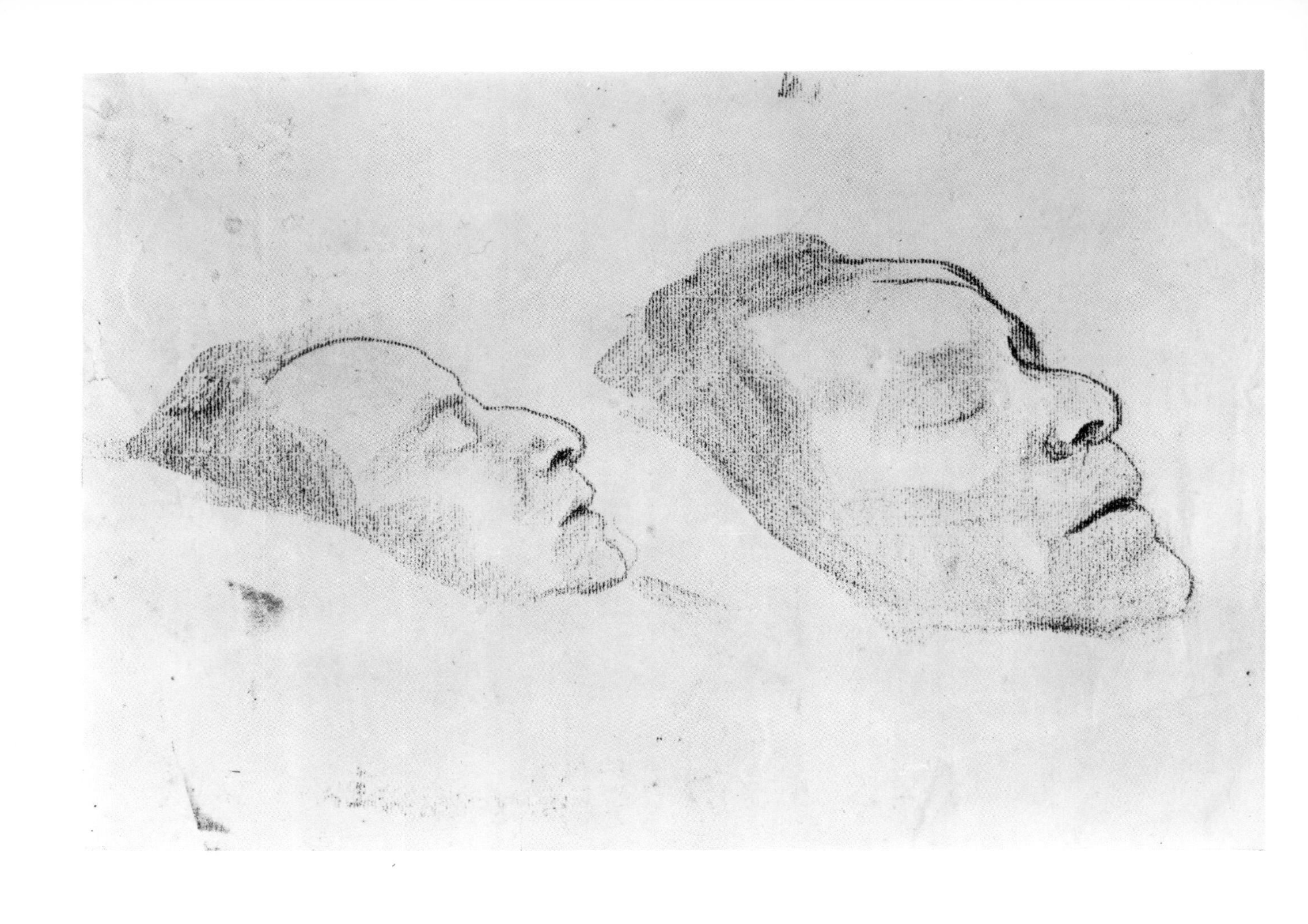

109 Leo Jogiches im Leichenschauhaus
1919. Schwarze Kreide (?), 25 × 37 cm, N 791

»Früh wieder einmal im Leichenschauhaus gewesen und einen Erschossenen gezeichnet. Es war ein Russe, Schapski oder so ähnlich heißend, sie nannten ihn hier immer Leo« (16.3.1919). Leo Jogiches, 1919 von Reichswehrsoldaten ermordet wie Karl Liebknecht und Rosa Luxemburg, gehörte mit ihnen beiden und Franz Mehring zur Führung des Spartakusbundes. Er war jahrelang Rosa Luxemburgs Lebensgefährte.

110 Selbstbildnis mit aufgestütztem rechten Arm
um 1920. Kohle auf Bütten, 43,7 × 45,5 cm, N 843

111 Stehende Frau
1919. Kohle auf Ingres-Bütten, 58,8 × 43 cm, N 805

Mann mit herabhängenden Armen
1919. Kohle auf Ingres-Bütten, 48 × 30 cm, N 800

112 Mann und Frau
1919. Kohle auf graugrünem Zeichenkarton,
39,9 × 29,7 cm, N 798

»Dann nebenan in der Morgue gewesen. Dichtes Vorbeidefilieren der Menschen an den Glasfenstern, hinter denen die nackten Leichen liegen. Jede hat ihr Kleiderbündel auf den Leib gelegt. Darauf liegt ihre Nummer. Ich las die Nummer 244. Hinter den Glasfenstern lagen etwa zwanzig bis dreißig Tote. Ich denke mir, daß, wenn jemand einen Bekannten dort zu erkennen glaubt, er die Nummer im Warteraum angibt. Dann wird die Leiche in einen anderen Raum gebracht, und die Verwandten prüfen dort genau nach, ob der Tote der Gesuchte ist. Es scheint so zu sein, denn einzelne der Wartenden wurden an mir vorbei hinten hineingeführt, und ich hörte da lautes Weinen. O, welch jammervoll trauriger Ort ist das Leichenschauhaus! Welche Qual, einen lieben Menschen dort suchen zu müssen und ihn zu finden!« (16. 3. 1919).

113 Das Opfer
1922/23. Holzschnitt, »Krieg«, Bl. 1

Seitdem ihr Sohn als 18jähriger im Ersten Weltkrieg gefallen war, befaßte sich Käthe Kollwitz mit dem Gedanken, eine grafische Folge zum Thema Krieg zu machen.
1922 endlich wird der Zyklus ausgeführt. »Ich bin mit der Holzschnittfolge zum Kriege fast fertig. Damit ist dann eine langjährige Arbeit endlich abgeschlossen. Kein Mensch wird mutmaßen, daß diese Holzstöcke mittlerer Größe eine langjährige Arbeit in sich schließen, und doch ist es so. Es steckt darin die Auseinandersetzung mit dem Stück Leben, das die Jahre 1914 bis 1918 umfassen, und diese vier Jahre waren schwer zu fassen« (Ende Dezember 1922).
Nicht die Toten und Verletzten – wie bei Max Beckmann oder Otto Dix – werden ins Bild gebracht, sondern die Leiden der Hinterbliebenen, der Trauernden und Vereinsamten.

114 Die Freiwilligen
1920. Bleistift, 50,6 × 66,6 cm, N 849

Im ersten, mit dem Bleistift gezeichneten, die Figurenanordnung skizzierenden, die Details noch auslassenden Entwurf für den Holzschnitt »Die Freiwilligen« innerhalb der Kriegsfolge beschränkt sich Käthe Kollwitz auf den trommelnden Tod und drei sterbend Zusammensinkende. Ikonographisch schließt sie an das »Tod als Heerführer«-Motiv an.
»Ich arbeite den Kriegs-Zyklus im Holzschnitt und habe jetzt die ›Freiwilligen‹ vor. Wenigstens *eine* Gedenkarbeit wäre das für die Jungen, wenn ich die große Arbeit [das Mahnmal in Belgien, das 1932 aufgestellt wird] schon nicht fertigbringen sollte«
(6.2.1921).

115 Die Freiwilligen
1920. Kohle, 48,2 × 69,7 cm/49,3 × 69,8 cm, N 850

In der Kohlezeichnung bleibt es vorerst bei den vier Figuren. Mit breiten, zupackenden Strichen wird das nahe Beieinander von Aufruf (der Tod in Uniform und Menschengestalt) und Opfer betont. Ihre »unhaltbar widerspruchsvolle Stellung zum Kriege« (Tagebuch vom 27.8.1916) wird hier deutlich: Käthe Kollwitz verabscheut den Krieg, sieht aber den Tod ihres Sohnes als notwendiges Opfer.

116 Die Freiwilligen
1920. Kohle, 45 × 60 cm, N 851

In der dritten zeichnerischen Fassung des »Freiwilligen«-Themas ergänzt Käthe Kollwitz im rechten Teil des Blattes weitere Figuren.

Wieder aufgegriffen wird das Motiv des Jungen mit dem hinten überfallenden Kopf. Es folgt noch eine weitere Version, die den Holzschnitt genauer festlegt.

Die Freiwilligen, 1921

117 Die Freiwilligen
1922/23. Holzschnitt, »Krieg«, Bl. 2

»Ich habe immer wieder versucht, den Krieg zu gestalten. Ich konnte es nie fassen. Jetzt endlich habe ich eine Folge von Holzschnitten fertiggebracht, die einigermaßen das sagen, was ich sagen wollte. Es sind sieben Blätter, betitelt: das Opfer – die Freiwilligen – die Eltern – die Mütter – die Witwen – das Volk. Diese Blätter sollen in alle Welt wandern und sollen allen Menschen sagen: so war es – das haben wir alle getragen durch diese unaussprechlich schweren Jahre« (Brief vom 25. Oktober 1922 an Romain Rolland).

118 Die Eltern
1923. Holzschnitt, »Krieg«, Bl. 3

»Wenn ich mich frage, worauf der starke Eindruck beruht, den Barlachs Arbeiten von jeher auf mich machen, so glaube ich, ist es dies, wie er selbst es einmal formuliert hat: ›es ist außen wie innen‹. Seine Arbeit ist außen wie innen, Form und Inhalt decken sich aufs genaueste. Nirgends fällt etwas auseinander, nirgends ist Füllsel. Was er aus sich herausstellte ..., war in sich eins«
(Käthe Kollwitz, zit. nach Ernst Barlach – Werk und Wirkung, Berlin 1972).

119 Die Witwe
1922/23. Holzschnitt, »Krieg«, Bl. 4

Edouard Manet, Der Bürgerkrieg, 1871

120 Die Witwe II
1922/23. Holzschnitt, »Krieg«, Bl. 5

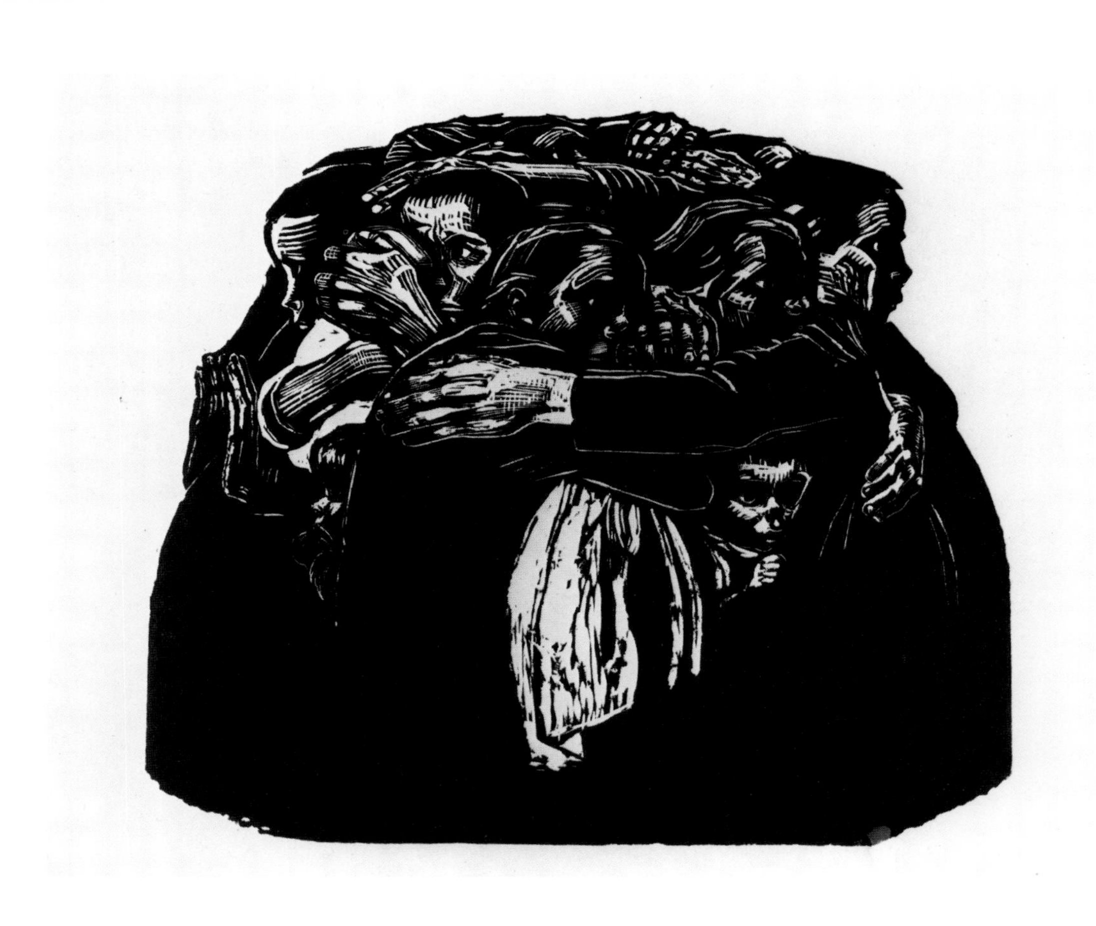

121 Die Mutter
1922/23. Holzschnitt, »Krieg«, Bl. 6

122 Das Volk

1922/23. Holzschnitt, »Krieg«, Bl. 7

»Ich bin mit der Kriegsfolge fertig. Freilich will ich den Stock ›Die Eltern‹ noch einmal umarbeiten, nicht weil er schlecht so ist, aber weil er noch besser werden kann. Wenn ich jetzt sterbe, ist *das* wenigstens gemacht« (November 1922).

123 Tod entreißt einer Mutter das Kind
um 1911. Kreide, Kohle, 63 × 48 cm, N 643

Das Motiv des Todes, der einer Mutter das Kind entreißt, kehrt 1920 (Abb. S. 139) und dann noch einmal 1934 (Abb. S. 176) wieder. Die symbolische Darstellung wird mit realistischen Zeichenmitteln formuliert.

124 Der Tod greift in die Kinderschar
1920. Schwarze Kreide auf hellgrauem Ingres-Bütten,
47,4 × 61,4 cm, N 862

»Etwas anderes zum Tod fiel mir dabei ein: wie er in eine Kinderschar hereinpackt. Zwei Kinder hat er gefaßt. Das eine, das er an den Haaren gerissen hat, liegt ganz still auf dem Rücken und sieht ihm versteinert in die Augen. Links sitzt eine Frau mit trauervollem Gesicht. Es ist nicht die Mutter des Kindes, es ist die zusehende Frau, die aber alles empfindet« (12. 1. 1920). Die ins Bild gesetzte fühlende und wissende Zeugin, Stellvertreterin des Betrachters, entwickelte Käthe Kollwitz in den Entwürfen zum ersten Blatt der Bauernkriegs-Folge (Abb. S. 63 ff.).

125 Tod mit Frau im Schoß
1921. Kohle, braune Kreide, 27 × 31 cm/44,7 × 38,8 cm, N 880

Holzschnitt

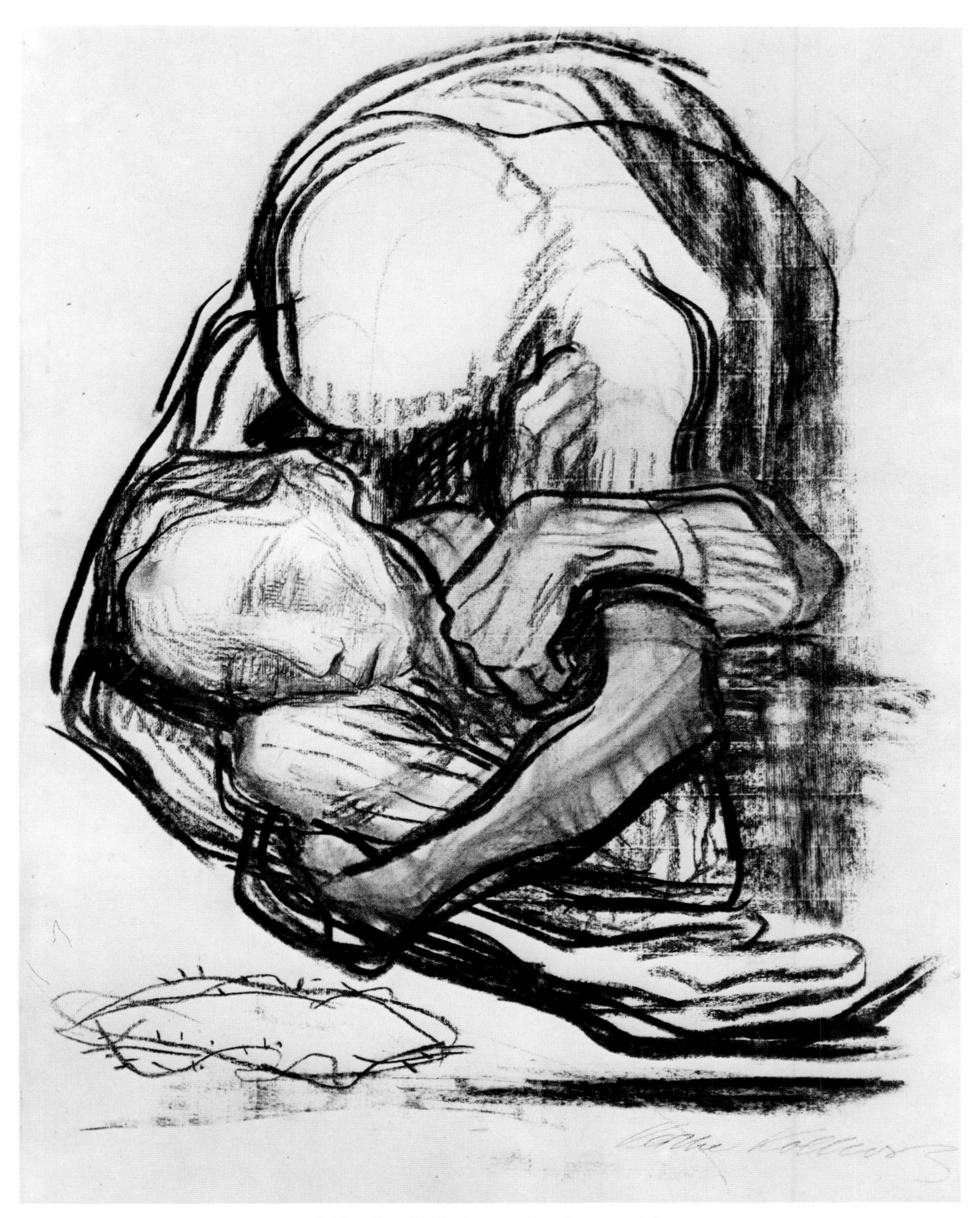

126 Der Tod nimmt eine Frau zu sich
1921/22. Kohle auf Ingres-Papier, 57,5 × 42,8 cm, N 887

Das Blatt gehört in eine Folge von Zeichnungen »Abschied und Tod« (dazu auch Abb. S. 139), die – so eine Notiz im Tagebuch vom November 1922 – zu Grafiken umgearbeitet werden sollten und die dann als Faksimiles in der sogenannten Richter-Mappe 1924 erscheinen.

127 Mutter, sich über ihre bedrohten Kinder stürzend (»Fliegerbombe«)
1922/23. Pinsel, 25 × 35 cm, N 960

128 Tod mit Frau im Schoß
um 1921. Bleistift, Feder, 50,4 × 44,3 cm, N 877

129 Tod und Jüngling, aufschwebend
um 1922/23. Kohle, schwarze Kreide, 64 × 48,2 cm, N963

130 Aufschwebender Tod, an den sich ein Jüngling klammert
um 1922/23. Schwarze Kreide, 53 × 66,5 cm, N 964

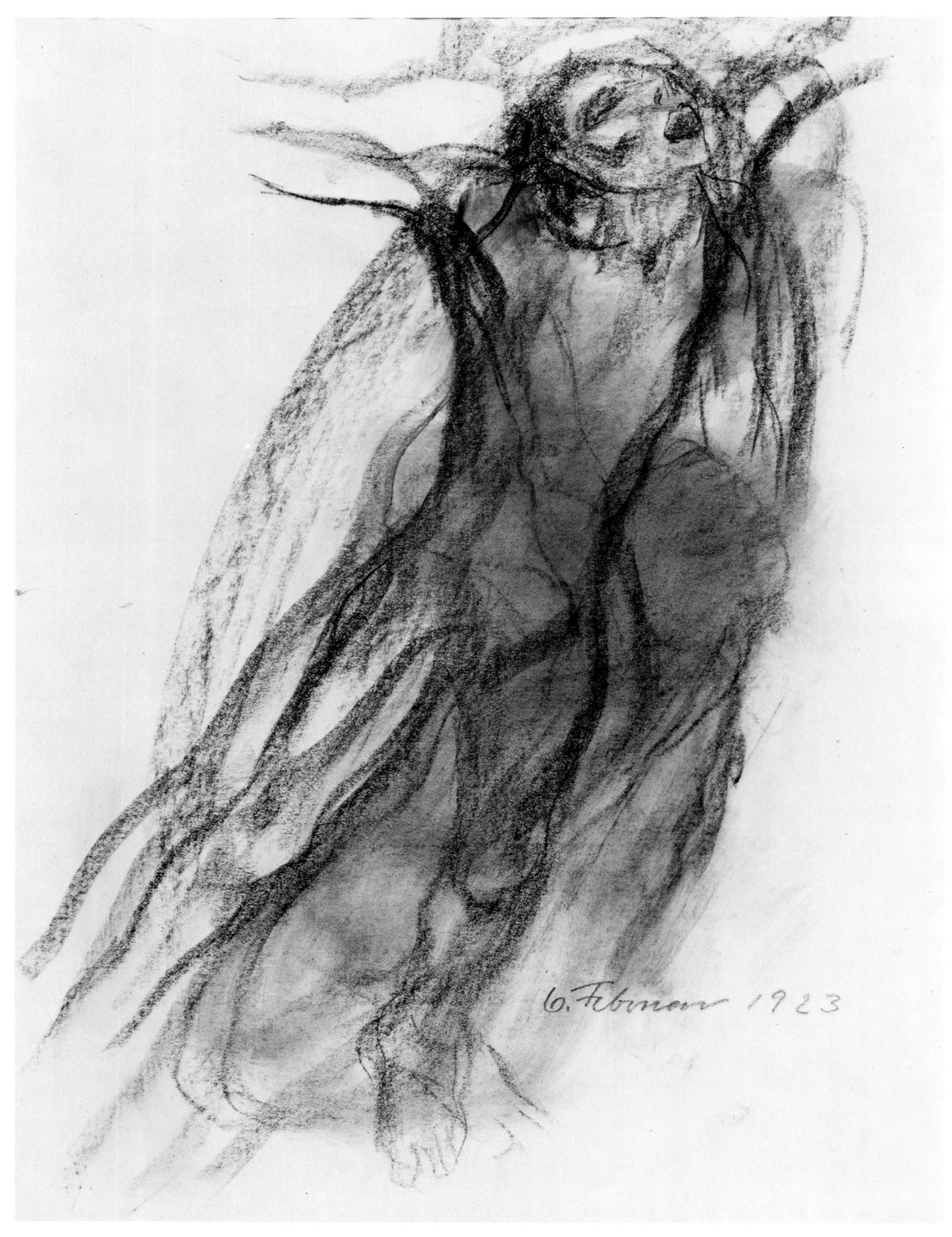

131 Aufschwebender Tod, an den sich ein Jüngling mit zurückgelehntem Kopf anklammert
6. Februar 1923. Kohle, 69,2 × 53,6 cm, N 962

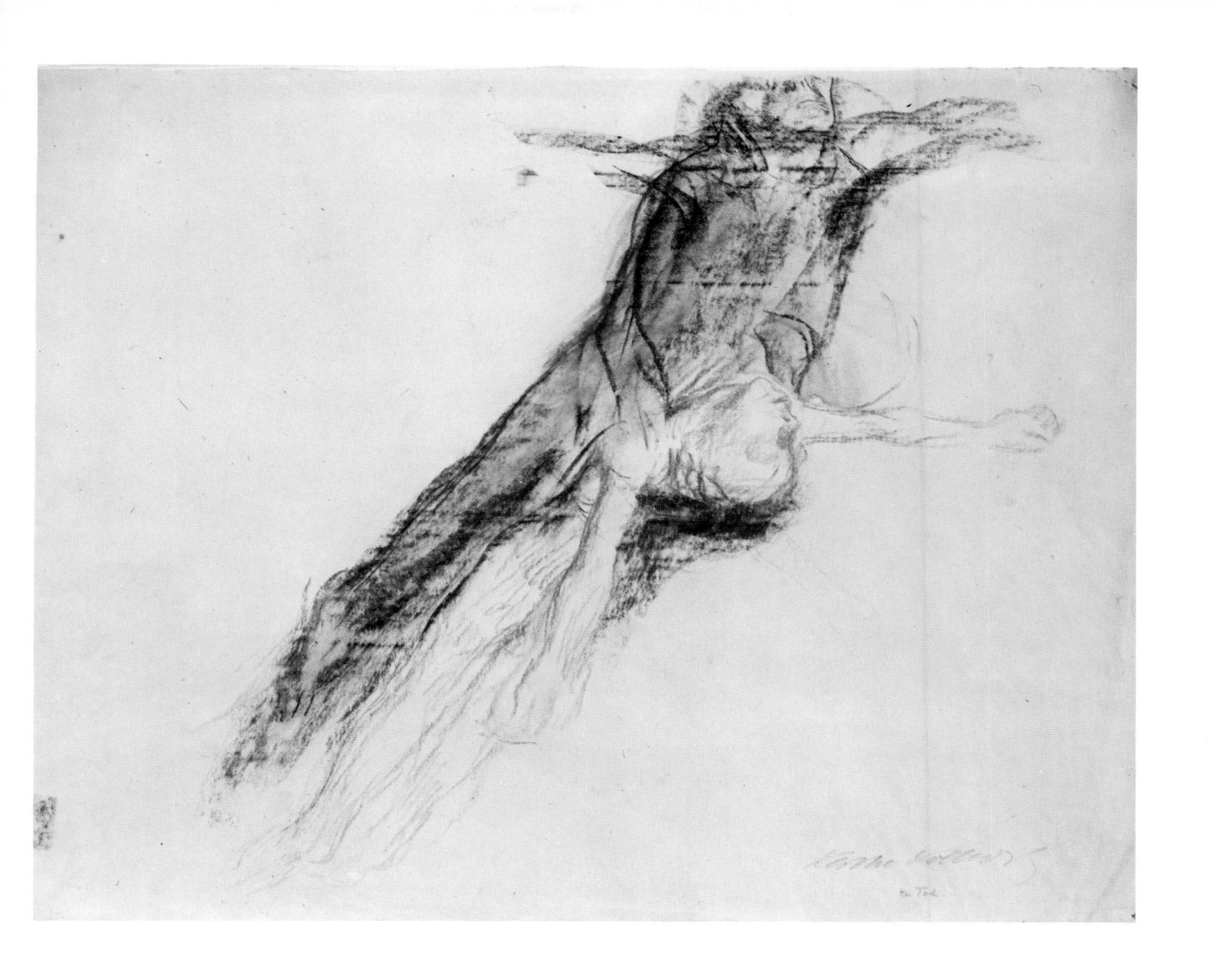

132 Tod und Jüngling, aufschwebend
um 1922/23. Kohle und schwarze Kreide,
54 × 70,5 cm, N 963 a

Zu dem Motiv des Todes, der in eine Kinderschar greift, kommt 1923 das Motiv des aufschwebenden Todes, der einen Jungen mit sich nimmt. Entstanden aus Anlaß des Geburtstages des 1914 gefallenen Sohnes Peter, drückt sich in diesem Gegenbild zum ikonographischen Typ der Grablegung eine irrationale Hoffnung auf Erlösung aus. Insofern ist mit diesem Motiv rückverwiesen auf die Bildtradition der Himmelfahrt. Im vierten Blatt unserer Folge von Varianten trägt die Frau, die der Tod nun anstelle des Jungen mit sich nimmt, selbstbildnishafte Züge.

133 Tod und Jüngling, aufschwebend
1922/23. Schwarze Kreide, 71,8 × 50,8 cm, N966

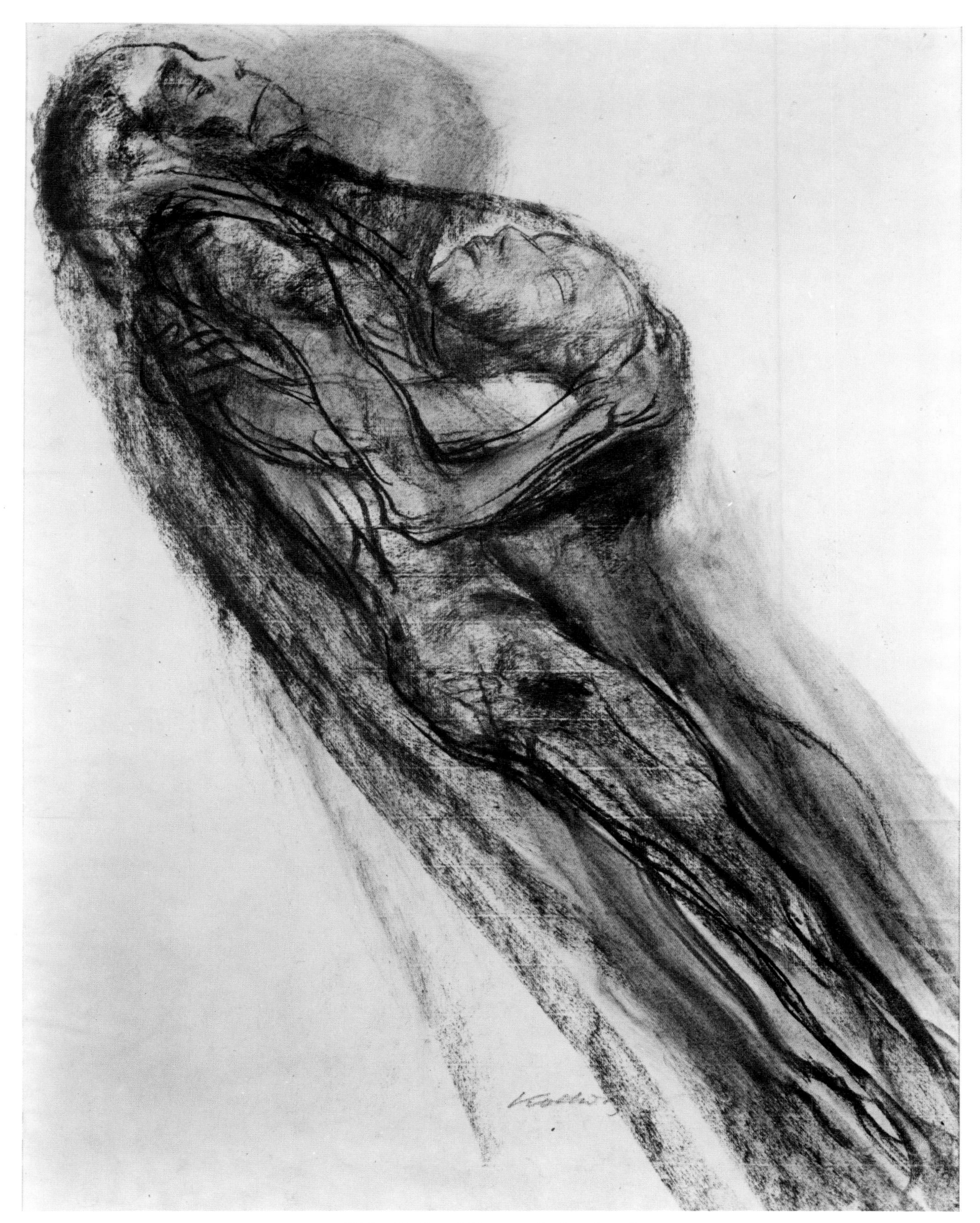

134 Tod und Frau, aufschwebend
1922/23. Kohle und schwarze Kreide, 60 × 44,6 cm, N 967

135 Selbstbildnis im Profil nach links
1923. Kohle, 32,5 × 27,7 cm, N 989

136 Selbstbildnis en face
1923. Kohle, 37,8 × 44,7 cm, N 988

137 Selbstbildnis im Profil nach links
1924. Pinsel in Deckweiß auf dunkelgrünem Papier,
25 × 19 cm/25,8 × 47,5 cm, N 1001

Diese beiden ziemlich singulär im zeichnerischen Werk der Käthe Kollwitz stehenden Arbeiten werden beherrscht durch den Kontrast von Deckweiß und dunkelgrünem Tonpapier, das die malerisch wirkenden Züge unterstützt.
Wo Käthe Kollwitz ohne Rücksicht auf darauf folgende grafische Arbeiten zeichnet, zeigt sich besonders deutlich die großzügige Kraft in der treffenden, genau charakterisierenden Umsetzung.

138 Selbstbildnis

1924. Pinsel in Deckweiß und dunkler Tusche, schwarze und weiße Kreide auf dunkelgrünem Tonpapier, 22,5 × 47,5 cm, N 1002

George Grosz, Selbstbildnis als Warner, 1926

139 Zwei Händestudien
1924. Schwarze Kreide, 62 × 45,7 cm, N 1040

140 Nie wieder Krieg
1923/24. Kohle, 62,5 × 50,2 cm, N 1038

»Vom internationalen Gewerkschaftsbund habe ich den Auftrag bekommen, ein Plakat gegen den Krieg zu arbeiten. Das ist eine Aufgabe, die mich freut. Mag man tausendmal sagen, daß das nicht reine Kunst ist, die einen Zweck in sich schließt. Ich will mit meiner Kunst, solange ich arbeiten kann, wirken« (29. 12. 1922.)

Käthe Kollwitz, Plakat, 1924

141 Kniende Frau neben einem verunglückten Arbeiter
um 1924. Kohle auf blaugrauem Ingres-Papier,
47,5 × 61,5 cm, N 1041

Die Zeichnung ist ein Entwurf zum Plakat »Eine Mahnung zur Vorsicht bei der Arbeit«, in Auftrag gegeben von der Reichsarbeitsverwaltung Berlin.

142 Frau und krankes Kind
um 1924. Kohle auf graublauem Ingres-Papier,
47,5 × 30,5 cm, N 1027

143 Studien, Stehender Arbeiter
um 1925. Schwarze Kreide, je 42,9 × 45,5 cm, N 1104

144 Arbeiter
um 1921-23. Kohle auf blaugrauem Ingres-Papier,
45,8 × 56,8 cm, N 921

145 Jüngling mit Flügeln, Frau mit Kind im Arm
um 1925. Schwarze Kreide, 63 × 48 cm, N 145

146 Fahne (Genius über der Fahne)
1925. Kohle, 46,5 × 60,3 cm, N 1090

Ernst Barlach
Güstrower Ehrenmal, 1927

»Es ist dies nicht die Stelle, uns auseinanderzusetzen, warum ich nicht Kommunistin bin. Es ist aber die Stelle, um auszusprechen, daß das Geschehnis der letzten 10 Jahre in Rußland mir an Größe und weittragender Bedeutung nur vergleichbar zu sein scheint mit dem Geschehnis der großen französischen Revolution. Eine alte Welt, unterhöhlt durch vierjährigen Krieg und revolutionäre Minierarbeit wurde im November 1917 zerschmettert. Eine neue Welt wurde in größten Zügen zusammengehämmert. Gorki spricht in einem Aufsatz aus der ersten Zeit der Sowjet-Republik von dem Fliegen ›Sohlen nach oben‹. Dieses Fliegen im Sturmwind glaube ich in Rußland zu spüren. Um dieses Fliegen, um die Glut ihres Glaubens habe ich die Kommunisten oft beneidet« (AIZ Nr. 20, 1927).
An die Gorkische Metapher vom Fliegen »Sohlen nach oben« schließt Käthe Kollwitz in diesem Blatt an.
Barlachs schwebende Figur aus demselben Jahr trägt Käthe Kollwitz' Züge.

147 Umarmung
um 1924/25. Kohle, 64,6 × 48,3 cm, N 1045

148 Alter Mann mit Bart
um 1928. Schwarze Kreide, Feder, Pinsel, 51,7 × 46 cm, N 1167

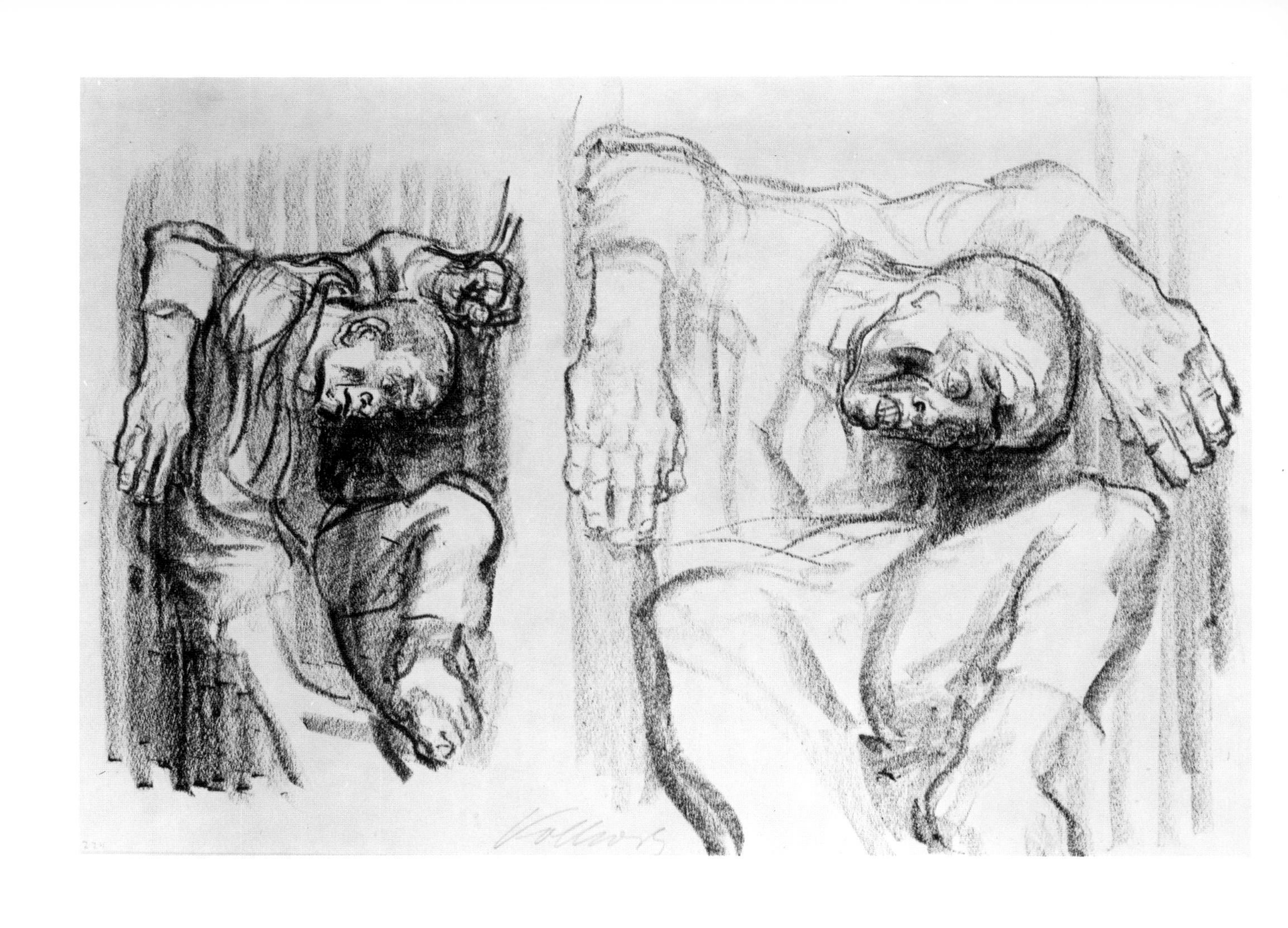

149 Gefangener
1928. Kohle, 43,8 × 65 cm, N 1180

G. Grosz, Der Agitator, 1928

150 Der Agitationsredner
1926. Kohle, 52 × 37,6 cm, N 1126

Zwei Jahre später entsteht George Grosz' Gemälde »Agitator« (Stedelijk Museum Amsterdam), das mit den Mitteln eines »synthetischen Realismus« (Heinrich Vogeler) nationalistische Propagandisten der Lächerlichkeit preisgibt.

151 Selbstmörderin
1928. Pinsel, 41,6 × 39,3 cm, N 1164

Beitrag für eine Protestschrift gegen den Bau des Panzerkreuzers A in einer Sondernummer der Zeitschrift »Eulenspiegel« (1928).
Der Text beginnt: »Zur Zeit leben Millionen deutscher Volksgenossen in größtem Elend. Täglich berichten die Zeitungen über Selbstmorde, die aus Not und Verzweiflung verübt werden ...«

152 Gefesselter
1928. Pinsel, 44,5 × 36,8 cm, N 118

»Von russischer Seite aufgefordert, meine Stellungnahme zu einem imperialistischen Krieg gegen Rußland zu dokumentieren, machte ich diese Lithos mit der Unterschrift ›Wir schützen die Sowjetunion‹ (Propellerlied)« (Käthe Kollwitz, zitiert nach Harri Nündel).

Im ersten Entwurf wird die Konstellation der »Gefangenen« (Abb. S. 80) aus dem Bauernkriegs-Zyklus aufgegriffen und von der Passivität in die solidarische Aktivität überführt.

153 Solidarität
1931/32. Kohle auf weichem, gelben Karton,
51 × 63,4 cm, N 1227

154 Solidarität
1931/32. Bleistift, 48,4 × 63,5 cm, N 1228

Th.-A. Steinlen
Die Einheit der Arbeiterklasse sichert den Sieg der Republik, 1894

Der zweite Entwurf reduziert die Zahl der Figuren, die jetzt nur in einer vorderen Bildebene stehen, in der Höhe und in der Breite das Blatt ausfüllend. Die Umdruckzeichnung für das Litho (Klipstein 248) mäßigt die bildsprengende Füllung der Fläche. Die ausgeführte Plastizität der Figuren wirkt wesentlich schematischer, starrer als die offene dynamische Anlage zumal des ersten Entwurfs.

155 Solidarität
1931/32. Lithokreide auf weißem Karton,
63,5 × 87,7 cm, N 1229

1931/32 entstanden, meint dieses Blatt nur vordergründig Solidarität in einem allgemeinen Sinn. Es geht hier – konkreter – um die bildnerische Formulierung des gemeinsamen Widerstandes gegen den aufkommenden Nationalsozialismus. »Gemeinsam« heißt: Volksfront.
Im Februar 1933 startet Käthe Kollwitz mit Albert Einstein, Erich Kästner, Heinrich Mann, Ernst Toller, Arnold Zweig und anderen eine Plakataktion in Berlin, um das Zusammengehen von SPD und KPD zu fordern. Käthe Kollwitz und Heinrich Mann werden daraufhin von den Nationalsozialisten gezwungen, aus der Akademie der Künste auszutreten.

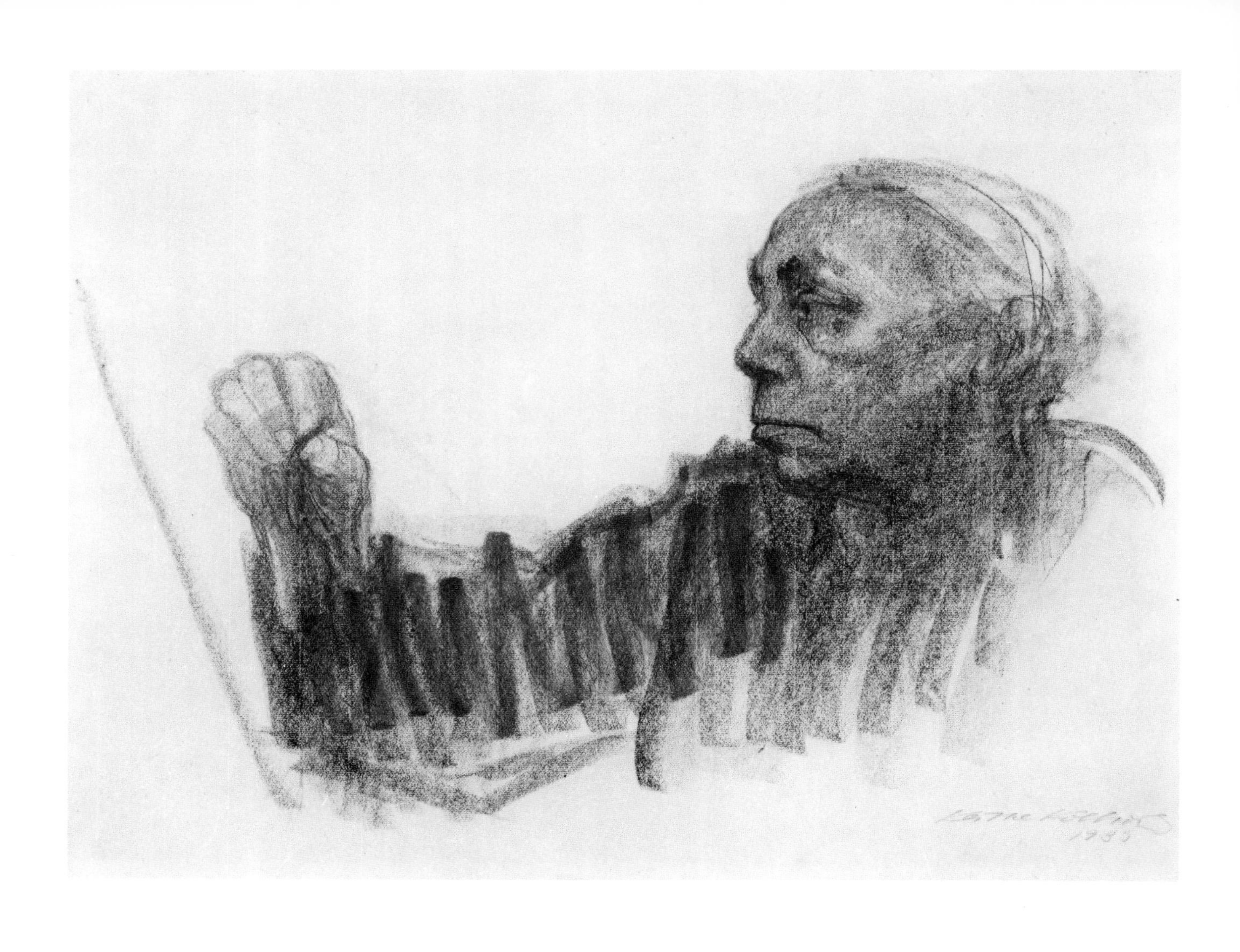

156 Selbstbildnis im Profil nach links, zeichnend
1933. Kohle, 47,6 × 63,5 cm, N 1240

157 Frau vertraut sich dem Tod an
1934. Kohle, 62,8 × 47 cm, N 1265

158 Frau vertraut sich dem Tod an
1934. Litho, »Tod«, Bl. 1

»Du sagst, ich hätte mein ganzes Leben hindurch ein Gespräch mit dem Tode gehabt. – Ach Lise, totsein muß gut sein, aber vor dem Sterben habe ich zu große Angst« (Anfang Februar 1945).

159 Tod hält Mädchen im Schoß
1934. Litho, »Tod«, Bl. 2

In ihrem letzten grafischen Zyklus widmet sich die 70jährige Käthe Kollwitz noch einmal dem Thema Tod. Ältere Motive werden aufgegriffen (siehe S. 100, 103, 138), neue kommen hinzu, so der »Ruf des Todes« mit den Zügen eines Selbstporträts.
Das Aufbegehren gegen das Töten im Krieg ist der Resignation vor der Unausweichlichkeit des Sterbens gewichen, aber auch – in einer Zeit der Unterdrückung – der Hoffnung auf den Tod als Erlöser.

160 Tod greift in Kinderschar
1934. Litho, »Tod«, Bl. 3

161 Tod packt eine Frau
1934. Litho, »Tod«, Bl. 4

»Hatte mir vorgenommen, in dieser Zeit, in der ich nicht plastisch arbeiten kann, meinen alten Plan auszuführen, graphisch eine Folge von Blättern zum Thema Tod zu machen und dann damit abzuschließen ... Ich hatte die Vorstellung, jetzt, im wirklichen Alter, würde ich vielleicht Arbeiten zustande bringen – zu diesem Thema – die in die Tiefe gehn ... Es ist nicht der Fall.
Die Zeit des Alterns ist zwar schwerer als das Alter selbst, aber produktiver. Gerade, da der Tod schon hinter allem sichtbar wird, beunruhigt er mehr die Phantasie ... Jedenfalls habe ich vorläufig nichts Wesentliches dazu gemacht. Dabei eine merkwürdige Unsicherheit im Technischen. Lithographie gewählt, aber unsicher bei der Arbeit selbst« (August 1934).

162 Tod auf der Landstraße
1934. Litho, »Tod«, Bl. 5

163 Tod wird als Freund erkannt
1934/35. Litho, »Tod«, Bl. 6

164 Tod im Wasser
1934/35. Litho, »Tod«, Bl. 7

»Dauerndes Schwanken zwischen Stein und Umdruck. Früher konnte ich doch mit Recht den Ausdruck brauchen: Ich führe eine Arbeit durch. Jetzt führe *ich* nicht meine Vorstellung, meinen Plan. Ich laufe unentschieden los, ermüde sehr bald, brauche immerfort Pausen und muß mir Rat holen bei meinen eigenen früheren Arbeiten. Das ist ja kein schöner Zustand. Aber seltsamerweise betrübt mich das gar nicht so sehr. Es ist mir eben alles gar nicht mehr so wichtig«
(August 1934).

165 Ruf des Todes
1934/35. Litho, »Tod«, Bl. 8

166 Selbstbildnis en face
1937. Kohle auf gelblichem Ingres-Papier, 38 × 31 cm, N 1267

167 Selbstbildnis
1938. Kohle, 63 × 47,5 cm, N 1275

168 Dr. Karl Kollwitz
1940. Schwarze Kreide, 48 × 25,2 cm, N 1282

In dem Jahr, in dem dieses Blatt entsteht, stirbt Käthe Kollwitz' Mann Karl Kollwitz. »Karl ist seit dem 12. April wieder von neuem ernstlich krank. Er ist viel schwächer geworden, liegt fast dauernd im Bett. Früh in den Vormittagsstunden sieht er oft sehr traurig und ernst aus« (6.6.1940).

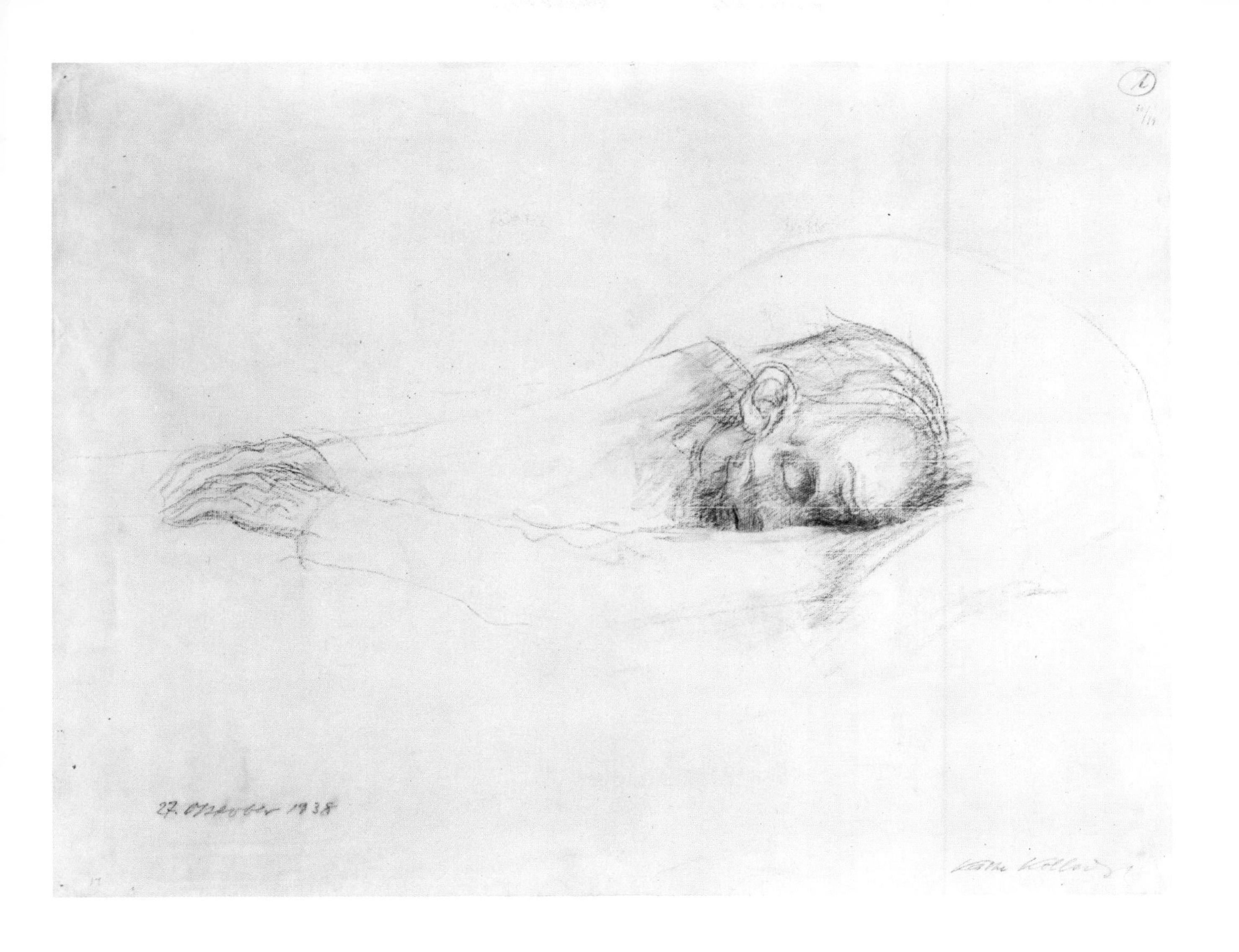

169 Der tote Barlach
1938. Kohle, 47,6 × 50 cm, N 1268

»Es ist vielleicht bis zu Euch gedrungen, daß der Bildhauer Barlach gestorben ist. Die Zeitungen berichteten es freilich mit der jetzt vorgeschriebenen Wurschtigkeit. Aber für mich hat Barlach viel bedeutet, und so fuhr ich am Donnerstag hinaus nach Güstrow, wo er lange Jahre gelebt hat, um der Trauerfeier beizuwohnen. Da kam ich durch einen Zufall früher als die anderen ins Haus und in sein Atelier, mitten unter seine schweigenden Gestalten. Und wie ich mich umsah, erschrak ich sofort.
Er selbst lag da in noch offenem Sarg, ich hatte geglaubt, der Sarg wäre schon in seiner Heimat. – Jeep, ich sah schon manchen Toten, aber so zum Erbarmen klein, wie dies Irdische von Barlach war, hab ich noch nichts gesehen. Der Kopf lag ganz und gar zur Seite, als ob er sich verbergen wollte« (Brief an Beate Bonus-Jeep).
»Ich habe zwar ebenfalls B. gezeichnet und zwar im Sarge ... Mich erschütterte der Anblick ... Mir war es kein Zufall, daß er so lag, so ganz ›laß o Welt, o laß mich sein!‹«
(4. 1. 1939).

Biographie

1867 wird Käthe Schmidt in Königsberg als fünftes Kind eines Maurermeisters geboren.
»Ganz gewiß ist meine Arbeit ... durch die Einstellung meines Vaters, meines Bruders, durch die ganze Literatur jener Zeit auf den Sozialismus hingewiesen. Das eigentliche Motiv aber, warum ich ... zur Darstellung fast nur das Arbeiterleben wählte, war, weil die aus dieser Sphäre gewählten Motive mir einfach und bedingungslos das gaben, was ich als schön empfand. Schön waren für mich der Königsberger Lastträger, schön waren die polnischen Jimkies auf ihren Witinnen, schön war die Großzügigkeit der Bewegungen im Volke. Ohne jeden Reiz waren mir Menschen aus dem bürgerlichen Leben. Das ganze bürgerliche Leben erschien mir pedantisch. Dagegen einen großen Wurf hatte das Proletariat« (Erinnerungen).

1881/82 erster (privater) Kunstunterricht in Königsberg.

1885/86 Studium an der Künstlerinnenschule in Berlin bei Karl Stauffer-Bern.
»Jetzt war es dem Vater lange klar, daß ich zeichnerisch beanlagt war, er ... wollte mich ganz zur Künstlerin ausbilden. Leider war ich ein Mädchen, aber auch so wollte er alles daransetzen. Er rechnete damit, daß, da ich kein hübsches Mädchen war, mir Liebessachen nicht sehr hinderlich in den Weg kommen würden« (Erinnerungen).

1887 Unterricht in Königsberg.
»Da ich als Mädchen keine Zulassung zur Akademie hatte, bekam ich ... Privatstunden bei Emil Neide« (Rückblick auf frühere Zeit, 1941).

1888/89 Studium an der Künstlerinnenschule in München.
»In meinem siebzehnten Jahr hatte ich mich durch Verlöbnis an den noch im Medizinstudium befindlichen Karl Kollwitz gebunden. Mein Vater, der seine Pläne mit mir dadurch gefährdet sah, beschloß, mich noch einmal fortzugeben, und zwar diesmal statt nach Berlin nach München« (Erinnerungen).

1890 entstehen die ersten Radierungen.

1891 heiratet sie den Arzt Karl Kollwitz, der sich im Norden Berlins (Weißenburger Straße 25, jetzt Kollwitzstraße) niederläßt. Der Vater »war sehr skeptisch gegen die Tatsache eingestellt, daß ich zwei Berufe vereinigen wollte, den künstlerischen und das bürgerliche Leben in der Ehe ... Mein Vater sagte zu mir kurz vor der Eheschließung: ›Du hast nun gewählt. Beides wirst du schwerlich vereinigen können. So sei das, was du gewählt hast, ganz!‹« (Erinnerungen).

1892 Geburt des Sohnes Hans.

1893 Teilnahme (mit drei Werken) an der »Freien Kunstausstellung« in Berlin.

1895-98 Arbeit an der Folge »Ein Weberaufstand«, die 1898 in Berlin gezeigt wird und Käthe Kollwitz sofort bekannt macht.

1896 Geburt des Sohnes Peter.

1898 Die Folge »Ein Weberaufstand« wird auf der Großen Berliner Kunstausstellung gezeigt. Käthe Kollwitz soll eine kleine goldene Medaille verliehen bekommen – Kaiser Wilhelm II lehnt ab.

1898-1903 Lehrerin an der Künstlerinnenschule in Berlin.

1899 Eintritt in die neu gegründete Berliner Secession.

1903 erstes Werkverzeichnis (Max Lehrs in der Zeitschrift »Die graphischen Künste«).

1904 hält sich Käthe Kollwitz studienhalber in Paris auf:
»Paris bezauberte mich. An den Vormittagen war ich in der Klasse für Plastik an der Akademie Julien, um mich mit den Grundlagen der Plastik vertraut zu machen. Die Nachmittage und Abende war ich in den Museen der Stadt, die mich entzückte, in den Kellern um die Markthallen herum oder in den Tanzlokalen auf dem Montmartre« (Erinnerungen). Besuche bei Rodin und Steinlen. Die »Verbindung für historische Kunst« beauftragt sie mit der Folge »Bauernkrieg«.

1907 bereist sie Italien im Zusammenhang mit einem Villa-Romana-Stipendium, das ihr Max Klinger verliehen hatte.

um 1883

1907

1885

Münchner Malerschülerinnen, 1888/89, in der Mitte oben Käthe Kollwitz

1911 »Wie anders stehn die Mädchen jetzt, als wie ich jung war. Ich wuchs auf in einem Kreise, wo man selbständiges Denken und Urteilen hätte lernen können, aber ich tat es nicht. Befangen, ohne weiten Blick, ohne Selbständigkeit war ich. Mein Tun war eigentlich nur immer Instinkttun. Und immer sah ich nach rechts und links, wie es aufgefaßt wurde ... Eigentlich etwas moralisch verkrüppelt war ich. Wie kam das? Die Eltern waren gerecht, liebevoll und einsichtig. Vielleicht weil ich ihr moralisches Übergewicht zu stark spürte« (5.2.1911).

Ab **1912** entstehen häufig Plakate für politische und soziale Zwecke.

1913 Verzeichnis der Radierungen und Lithographien von J. Sievers.

1914 meldet sich der Sohn Peter freiwillig in den Krieg. »Als ob das Kind noch einmal vom Nabel abgeschnitten wird. Das erstemal zum Leben, jetzt zum Tode« (5.10.1914).
Kurz darauf fällt Peter in Belgien. Käthe Kollwitz wird diesen Schmerz nie überwinden, zumal sie das Gefühl hat, ihm nicht mit allen Kräften vom Krieg abgeraten zu haben.

1916 »Nun dauert der Krieg zwei Jahre, und fünf Millionen junge Männer sind tot, und mehr als nochmal soviel Menschen sind unglücklich geworden und zerstört. Gibt es noch irgendetwas, was das rechtfertigt?« (27.8.1916).
»Ist also die Jugend in all diesen Ländern betrogen worden? Hat man ihre Fähigkeit zur Hingabe benutzt, um den Krieg zustande zu bringen? Wo sind die Schuldigen? Gibt es die? Sind alles Betrogene? Ist es ein Massenwahnsinn gewesen? Und wann und wie wird das Aufwachen sein?« (11.10.1916).

1917 werden zum 50. Geburtstag von Käthe Kollwitz in Deutschland zahlreiche Ausstellungen ihres Werkes durchgeführt (Berliner Secession, Kunstverein Königsberg, Kunsthalle Bremen, Kunsthandel Paul Cassirer, Berlin).
»Was hat dies Jahr gebracht? Was hat es genommen? ... Es hat immer genommen und genommen. Menschen genommen und Glauben genommen, Hoffnung genommen. Kraft genommen. Gegeben hat es neue Ausblicke durch Rußland. Von da ist etwas Neues in die Welt gekommen, was mir entschieden vom Guten zu sein scheint« (Sylvester 1917).

1918 »hat den Krieg beendet und die Revolution gebracht. Der entsetzliche, immer unerträglichere Kriegsdruck ist fort, und das Atmen ist wieder leichter. Daß wir damit gleich gute Zeiten bekämen, glaubt kein Mensch. Aber der enge Schacht, in dem wir staken, in dem wir uns nicht rühren konnten, ist durchkrochen, wir sehen Licht und atmen Luft« (Sylvester 1918).

1919 »Höre von Klimsch und Gaul, daß ich in die Akademie der Künste gewählt bin. Große Ehre, aber ein bißchen peinlich für mich. Die Akademie gehört doch zu den etwas verzopften Instituten, die beiseite gebracht werden sollten« (31.1.1919).
Gleichzeitig bekommt sie den Professor-Titel verliehen (»Die Sache war schon publik geworden, und da wollte ich mit Widerruf und so weiter keine große Geschichte machen«).
Porträts der Ermordeten Karl Liebknecht, Leo Jogiches, Hugo Haase.
Illegale Tagung der Jugendinternationale im Atelier von Käthe Kollwitz.

1920 »Mit etwas dumpfen Druckgefühl gehe ich dem Jahr entgegen. Hoffnungen hat man nicht viel. Illusionen auch nicht.
Geht die Verelendung so weiter vor sich, rutschen wir allmählich alle ins Proletariat. Die jüngeren Kräfte werden in Massen auswandern. Armes verprügeltes Deutschland ... Dazu die Zerrissenheit in Parteien, die sich aufs Blut hassen, die immer zunehmende Unwahrscheinlichkeit, ja Unmöglichkeit, daß der Mehrheitssozialismus das Chaos wird bewältigen können. Vielleicht daß eine nochmalige große Erschütterung die Luft reinigen wird.
Aber schreckliche Zeiten werden das dann werden. Wenn man nur an frische Luft kommt« (1.1.1920).
Rede am Grab Max Klingers im Auftrag der Freien Secession.

1921 »Der kurze Vormittag gehört der Arbeit, der Nachmittag gehört allem anderen. Wirtschaft, Briefen, Umgang, Allgemeinem. Die Tage laufen immer schneller, die Zeit der Einkehr wird knapper. Ich komme mir vor wie ein Mensch, der nur flach, aber rasch atmet, und eigentlich tiefe ruhige Atemzüge machen sollte« (25.10.1921).
Unterstützung der Internationalen Arbeiterhilfe und des Komitees zur Rußlandhilfe.

1924 erscheinen die Holzschnitt-Folge »Krieg« und das Mappenwerk »Käthe Kollwitz. Abschied und Tod« (»Richter-Mappe«).
Beteiligung an Ausstellungen in Berliner Kaufhäusern.

1925 »Ich verdiene ein paar tausend Mark im Jahr, lächerlich wenig für meinen Namen« (Oktober 1925).

1927 Reise in die Sowjetunion (auf Einladung der Künstlerorganisation AChRR) zum 10. Jahrestag der Oktoberrevolution; Ausstellungen in Moskau und Kasan.

um 1910

um 1927

1917

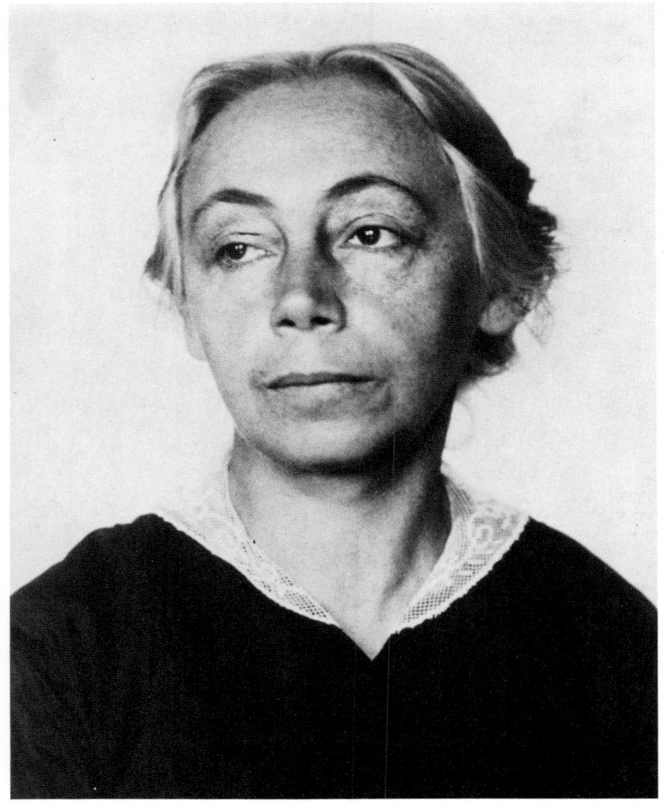

1917

1928 wird Käthe Kollwitz mit der Leitung des Meisterateliers für Graphik an der Akademie der Künste betraut.

1930 »Langsam heranschleichende böse Reaktion auf allen Gebieten. Es wird eine schlimme Zeit kommen oder *es ist* eine schlimme Zeit« (Dezember 1930).

1932 wird das Gefallenendenkmal in Belgien (Roggevelde bei Dixmuiden) aufgestellt, das Käthe Kollwitz für ihren Sohn geschaffen hat: »Ich war vor kurzem in Belgien, um die Aufstellung meiner beiden plastischen Figuren auf einem Soldatenfriedhof anzuordnen. Dort liegt neben 2000 anderen jungen Menschen auch mein Sohn, er fiel achtzehnjährig. An meinen Figuren habe ich viele, viele Jahre gearbeitet, nun endlich sind sie an ihren Bestimmungsort gekommen. Es ist ein Vater und eine Mutter, die da bei den Söhnen knien« (23.8.1932).

1933 unterzeichnet Käthe Kollwitz einen Aufruf zur Bildung einer Volksfront von Kommunisten und Sozialdemokraten, um den Sieg der Nationalsozialisten bei den bevorstehenden Wahlen zu verhindern. Von den Nationalsozialisten wird Käthe Kollwitz gezwungen, aus der Akademie der Künste auszutreten; sie verliert ihr Amt als Leiterin der Meisterklasse für Graphik.

1933 »Das Dritte Reich bricht an. Am 30. Januar 1933 wird Hitler Reichskanzler. Dann alles Schlag auf Schlag. Am 15. Februar 1933 müssen Heinrich Mann und ich aus der Akademie austreten. Verhaftungen und Haussuchungen ... Vollkommenste Diktatur. Am 1. April 1933 Judenboykott. Entlassungen ... Am 10. Mai 1933 werden Bücher verbrannt ...«
»Die unerhörten politischen Vorfälle der letzten Wochen nehmen mich so in Beschlag, daß ich wohl täglich ins Atelier gehe, mich aber zu keiner Arbeit konzentrieren kann. Ich fürchte, daß wir äußerst schweren und blutigen Zuständen entgegen gehn.
Nein – wir sind schon drin. Hier in Berlin jedenfalls bringt jeder Tag Schlimmeres. Da kommt einem alles andere so unwesentlich vor« (27.2.1933 an Dr. Becker).

1934/35 entsteht die Litho-Folge »Tod«.

1936 erhält Käthe Kollwitz ein inoffizielles Ausstellungsverbot.
»Merkwürdige Stille bei Gelegenheit der Heraussetzung meiner Arbeit aus der Akademieausstellung und anschließend im Kronprinzenpalais. Es hat mir fast niemand etwas dazu zu sagen.
Ich dachte, die Leute würden kommen, mindestens schreiben – nein. So etwas von Stille um mich. – Das muß alles erlebt werden!« (November 1936).
»Zu ändern ist nichts, und die Fäuste bleiben in der Tasche.« (Juli 1937).

1940 stirbt ihr Mann Dr. Karl Kollwitz.

1942 fällt ihr Enkel Peter in der Sowjetunion.

1943 Evakuierung nach Nordhausen. Die Berliner Wohnung in der Weißenburger Straße wird durch Bomben zerstört.

1944 siedelt Käthe Kollwitz nach Moritzburg bei Dresden um.
»Aus Deutschlands Städten sind Trümmerhaufen gemacht, und das Schlimmste von allem ist, daß ein jeder Krieg seinen Antwortkrieg schon in der Tasche hat. Ein jeder Krieg wird mit einem neuen Krieg beantwortet, bis alles, alles kaputt ist. Wie dann die Welt aussehen mag, wie Deutschland aussehen mag, weiß nur der Teufel. Darum bin ich mit ganzem Herzen für einen radikalen Schluß dieses Irrsinns und erwarte nur von dem Weltsozialismus etwas« (21.2.1944).
»Was ich heute schreibe, mißversteht nicht, und haltet mich auch nicht für undankbar, aber ich muß es Euch sagen: Mein tiefster Wunsch geht dahin, nicht mehr zu leben ... Ich könnte noch manches hinzufügen, auch werdet Ihr sagen, ich sei noch nicht so am Ende. Ich könnte noch ganz gut schreiben und mein Gedächtnis sei noch klar. Trotzdem, die Sehnsucht nach dem Tod bleibt ...«
(13.6.1944).
»Haben Sie Dank für Ihre freundliche Anfrage! Helfen können Sie mir durch nichts, ich fühle mich sehr alt und erledigt und hoffe, daß mein Leben nicht mehr sehr lange dauert« (7.6.1944 an Dr. Becker).

1945 Wenige Tage vor der Kapitulation stirbt Käthe Kollwitz 78jährig in Moritzburg.

Die Zitate entstammen dem von Hans Kollwitz herausgegebenen Band *Ich sah die Welt mit liebevollen Blicken. Käthe Kollwitz – Ein Leben in Selbstzeugnissen* (Wiesbaden 1979).

1943/44

Literatur

Werkkataloge

August Klipstein. Käthe Kollwitz. Verzeichnis des graphischen Werkes. Bern/New York 1955

Käthe Kollwitz. Die Zeichnungen. Herausgegeben von Otto Nagel, bearbeitet von Werner Timm. Berlin/DDR1972

Schriften der Künstlerin

Käthe Kollwitz. Tagebuchblätter und Briefe. Herausgegeben von Hans Kollwitz. Berlin 1949

Käthe Kollwitz. Ich will wirken in dieser Zeit. Auswahl aus den Tagebüchern und Briefen. Berlin 1952

Käthe Kollwitz. Briefe der Freundschaft. München 1966

Käthe Kollwitz. Briefe an Dr. Heinrich Becker. Bielefeld 1967

Ich sah die Welt mit liebevollen Blicken. Käthe Kollwitz – Ein Leben in Selbstzeugnissen. Herausgegeben von Hans Kollwitz. Wiesbaden o. J. (1979)

Monographien, Ausstellungskataloge

Max Lehrs. Käthe Kollwitz. In: Die graphischen Künste XXVI, Wien 1903

Hans W. Singer. Käthe Kollwitz. Eßlingen 1908

Alfred Kuhn. Graphiker der Gegenwart: Käthe Kollwitz. Berlin 1921

Ludwig Kaemmerer. Käthe Kollwitz. Griffelkunst und Weltanschauung. Dresden 1923

Arthur Bonus. Das Käthe Kollwitz-Werk. Neue veränderte und erweiterte Auflage. Dresden 1930

Carl Georg Heise. Käthe Kollwitz. 21 Zeichnungen der späten Jahre. Berlin 1948

Gerhard Strauss. Käthe Kollwitz. Dresden 1950

Friedrich Ahlers-Hestermann. Käthe Kollwitz. Der Weberaufstand. Stuttgart 1960

Käthe Kollwitz. Ausst.-Kat. Berlin/DDR (Deutsche Akademie der Künste) 1951

Otto Nagel. Käthe Kollwitz. Dresden 1963

Fritz Schmalenbach. Käthe Kollwitz. Königstein 1965

Otto Nagel. Die Selbstbildnisse der Käthe Kollwitz. Berlin/DDR 1965

Käthe Kollwitz. Das plastische Werk. Herausgegeben von Hans Kollwitz. Vorwort von Leopold Reidemeister. Hamburg 1967

Werner Schmidt. Zur künstlerischen Herkunft von Käthe Kollwitz. In: Jahrbuch 1967, Staatliche Kunstsammlungen Dresden, Dresden 1967

Die Zeichnerin Käthe Kollwitz. Ausst.-Kat. Stuttgart (Staatsgalerie/Graphische Sammlung) 1967

Käthe Kollwitz. Ausst.-Kat. Berlin (Akademie der Künste) 1967

Peter H. Feist. Die Bedeutung der Arbeiterklasse für den Realismus der Käthe Kollwitz. In: Wissenschaftliche Zeitschrift der Humboldt-Universität zu Berlin H. 5, 1968

Käthe Kollwitz. Ausst.-Kat. Frankfurt (Kunstverein) 1973 (und an anderen Orten)

Käthe Kollwitz. Ausst.-Kat. Köln (Wallraf-Richartz-Museum) 1973

Werner Timm. Käthe Kollwitz. Berlin/DDR 1974

Mina C. Klein & H. Arthur Klein. Käthe Kollwitz. Life in Art. New York 1975

Harri Nündel. Käthe Kollwitz. Leipzig 1975

Martha Kearns. Käthe Kollwitz, woman and artist. New York 1976

Käthe Kollwitz. Ausst.-Kat. München (Museum Villa Stuck) 1977

Käthe Kollwitz. Ausst.-Kat. Peking 1979 (chinesisch), Stuttgart 1979

Rainer Beck. Käthe Kollwitz – mehr als eine sozialistische Kampfgenossin. In: Politische Studien 29/239, 1978

Käthe Kollwitz. Druckgrafik, Plakate, Zeichnungen. Herausgegeben von Renate Hinz, Berlin 1980

Catherine Kramer. Käthe Kollwitz in Selbstzeugnissen und Bilddokumenten. Reinbek 1981